ID0625784

Originaires de la Belgique, **Claire et Philippe Steinbach** sont respectivement rédactrice et électronicien de formation. À 40 ans, ils décident de tout vendre pour vivre une année sabbatique !

L'année sabbatique… s'est avérée bien différente de celle qu'ils avaient rêvée et s'est transformée en une année d'errance et de déstructuration. Une année sabbatique, pas comme celle que l'on espère, mais de celle où l'on grandit. Une année… qui comme un bateau brisé peut se reconstruire et voguer à nouveau.

L'ouvrage, présenté tête-bêche, *L'année sabbatique au féminin* par Claire Steinbach et *L'année sabbatique au masculin* par Philippe Steinbach est un petit bijou. Partant d'une même expérience de vie, ils dévoilent leur complémentarité et leur complicité face aux événements de ces dix dernières années avec leurs trois enfants.

Jean Soulard, chef exécutif du Château Frontenac à Québec, écrit dans sa préface pour Claire : *Dans ce livre, il n'y a pas de hasard, il y a du travail. Il n'y a pas de doute, il y a du courage. Il n'y a pas de regret, il y a la vie.*

De son côté, **Jacques Salomé**, écrivain et formateur, écrit dans sa préface pour Philippe : *On devrait offrir une année sabbatique à tout être humain, au mitan de sa vie, pour lui permettre non pas de faire autre chose mais d'être*

autre chose, de se rencontrer, de se découvrir et d'explorer
peut-être quelques-uns des recoins secrets de sa vie.

Dans un monde où tout tourne si vite, où l'on ne trouve plus le temps de partager, de donner, d'aimer… le lecteur aura l'occasion de prendre part à ce merveilleux voyage initiatique teinté d'humour et d'émotions fortes. Différents sujets y sont abordés : la vie de famille, l'immigration, la difficulté d'intégration, le burn-out et la création d'une entreprise agrotouristique.

L'année sabbatique… un must… le lecteur trouvera entre les lignes de cet ouvrage, les messages de vie qui pourront accompagner les possibles d'une année sabbatique à venir.

Domaine Steinbach
2205, chemin Royal
Saint-Pierre, Île d'Orléans
Québec G0A 4E0

Téléphone : (418) 828-0000
Télécopieur : (418) 828-0777

info@domainesteinbach.com
www.domainesteinbach.com

Claire Steinbach

L'année sabbatique...

au féminin

LES ÉDITIONS
FRANCINE BRETON

ÉDITIONS FRANCINE BRETON INC.
Collection « Autobiographie »

Conception graphique
et mise en pages : Ginette Grégoire

Photographies : Philippe Steinbach

L'année sabbatique... au féminin
© 2005, Claire Steinbach

ÉDITIONS FRANCINE BRETON INC.
3375, avenue Ridgewood, bureau 422
Montréal (Québec) H3V 1B5
Téléphone : 514-737-0558
info@efb.net
www.efb.net

Dépôt légal : 1er trimestre 2005
Bibliothèque nationale du Québec
Bibliothèque nationale du Canada

Distribution : Diffusion Raffin
Téléphone : 450-585-9909
Télécopieur : 450-585-0066

ISBN 2-922414-36-1

*Tout le monde a eu, un jour ou l'autre
l'envie de changer de vie, de changer de pays,
tout le monde a eu des bleus à l'âme
alors...*

Préface

Il y a ceux qui rêvent et ceux qui réalisent leur rêve...

Mais dans les pages de Claire, il y a plus. Elle est la mère, autour de laquelle on se retrouve, on se rassemble, on reprend espoir, on se réchauffe comme autour d'un bon feu.

Avec Philippe, ils font partie de ces artisans qui, depuis une quinzaine d'années, ont développé les produits québécois, qui, pour nous les chefs, sont essentiels.

Ils font partie, aussi, de ces immigrants qui par choix, sur des mers parfois agitées, conduisent leur coquille de noix dans un port aux eaux calmes qui les gardera au chaud durant les longs mois d'hiver.

Dans les pages de Claire...

il n'y a pas de hasard, il y a du travail.

Il n'y a pas de doute, il y a du courage.

Il n'y a pas de regret, il y a la vie.

JEAN SOULARD – Chef
Le Château Frontenac

À tous ceux qui sont partis
et à tous ceux que je chéris.

Introduction

Ce livre est le témoignage d'une année sabbatique qui va se transformer en dix années de vie d'une famille en errance. Ce récit entraînera le lecteur dans une aventure qui deviendra une manière de vivre hors normes. Il relate le cheminement vers une immigration réussie, la création d'une entreprise agrotouristique, des difficultés rencontrées, des grands défis à relever, mais aussi de nombreuses joies à partager.

C'est aussi l'histoire d'un couple vivant ensemble depuis plus de trente ans et découvrant chaque jour chez l'autre la passion de vivre.

Nous avons voulu échanger notre expérience avec vous, car tout le monde a eu envie de changer de vie, de changer de pays, tout le monde a eu des bleus à l'âme, alors...

Écrire, oui, mais comment ?

Oui, comment écrire un livre quand on ne l'a jamais fait !

On oublie son ordinateur et l'on se souvient ; je me souviens.

Comment tout cela a-t-il commencé ?

Nous étions quatre déjà. Un père, une mère, un garçon de 12 ans, (Nicolas), et une petite fille de 6 ans, (Amandine).

Nous habitions la Belgique, petit pays sympathique, mais tellement surpeuplé !

Notre vie était très balisée par le travail de mon mari, il possédait à cette époque une entreprise de téléphonie. J'occupais moi aussi un poste de secrétaire dans son entreprise.

Les journées filaient, harassantes, à conduire Nicolas et Amandine à l'école, travailler au bureau, retourner chercher les enfants, superviser les devoirs, faire le dîner.

Bref, la vie banale de tout un chacun.

Peu d'espace de vie. Oui, bien sûr, les fins de semaine sur les bords de la mer du Nord où nous pouvions nous ressourcer. Mais dès que nous rentrions à Bruxelles, nous avions de plus en plus de mal à trouver notre place dans le troupeau humain.

Nous nous sentions déboussolés dans cette grande ville tentaculaire.

Nous supportions difficilement le stress de la ville, les embouteillages, le bruit des voitures qui klaxonnent à tout va.

J'étais inquiète pour mes enfants, les agressions physiques étant fréquentes dans les écoles.

Notre niveau de vie était très agréable. Nous avions une maison confortable dans un quartier tranquille, une entreprise prospère, deux voitures, la possibilité de partir trois ou quatre fois en vacances pendant l'année. Enfin, tout pour être heureux ! Mais nous ressentions au fond de nous d'autres besoins, d'autres envies et cet état s'aggravait de jour en jour.

Était-ce l'approche de nos 40 ans ou une prise de conscience due au temps qui passe très vite. Et que si l'on ne vit pas au présent, on rate son futur !

Moi qui rêvais depuis toujours de grands espaces, de Noëls blancs, d'énormes sapins, de paysages grandioses. Nos hivers belges m'apparaissaient trop gris et plus assez glissants, ils trahissaient mes souvenirs d'enfance.

Quand j'écoutais à la radio la magnifique chanson de Robert Charlebois : *Je reviendrai à Montréal*, je me disais que c'était là-bas que je respirerais mieux.

Il m'arrivait de me demander (en regardant les gens dans le métro) s'ils étaient des légumes ou des êtres vivants, sans réactions, sans paroles, sans regards. J'avais l'impression d'être différente, de ne plus trouver ma place dans ce monde-là.

Notre fillette avait de nombreuses difficultés à l'école, elle aussi ne s'insérait pas vraiment dans un moule, elle aussi était différente. Souvent, je ne comprenais pas ce qui nous arrivait.

Elle me faisait entrevoir mes combats inachevés avec la scolarité ; elle m'obligeait à me dépasser, à fouiller dans mes vieux souvenirs et à en faire le tri. Elle m'aidait à penser autrement, à chercher de nouvelles pistes de vie, d'autres manières de nous épanouir.

Première partie

Le Grand projet

C'est dans cet état d'esprit que mon mari m'emmène un après-midi au bord d'un lac et me dit qu'il n'en peut plus de cette vie-là. Il est à bout lui aussi, il souhaite une autre existence pour lui, pour moi, pour les enfants. Nous vendons tout et nous recommençons autrement. Nous allons nous offrir une année sabbatique !

Moi, pas très raisonnable et très en harmonie avec son projet, je lui dis un grand OUI ! Nous vendons tout, OK.

Alors, par quel bout on commence quand on veut tout vendre, quand on veut changer de vie ? Il n'y a pas de mode d'emploi, pas d'aide à attendre de personne, car tout ce qui fait « notre réussite sociale » va disparaître aux yeux des voisins, des amis, des proches.

Les gens se posent et nous posent toutes sortes de questions : « Ça ne va pas les affaires ? » « C'est difficile en ce moment ? »

Nous leur répondons : « Mais non, tout va bien, on veut juste changer, recommencer autre chose. » Ils nous traitent d'inconscients, en plus avec deux enfants ! Ils chuchotent : « Ils doivent être en faillite. »

Enfin, tout ça nous était bien égal, notre décision était prise, notre maison était déjà vendue et nous habitions dans le même bâtiment que l'entreprise.

Pas facile comme situation : les jouets qui traînent, pas de machine à laver, une seule pièce pour vivre pendant plusieurs mois et, à l'étage, des chambres minuscules et mal insonorisées qui nous font regretter quelquefois notre ancienne quiétude.

Pendant ce temps, nous avions commencé les démarches pour vendre notre société. Les mois passaient inlassablement et un grand bonheur s'annonçait pour mes 40 ans. Un nouveau bébé !

J'étais tombée enceinte une année auparavant et j'avais fait une fausse couche. Je pensais que cette fois, c'était trop tard, la fameuse boussole biologique qui résonne à nos oreilles, pour nous les femmes. Il est trop tard, tu es trop vieille pour un bébé, il fallait y penser plus tôt ! J'étais très heureuse car ce petit troisième était pour moi comme une fin de maternité. Deux enfants ce n'étaient pas assez, trois, c'était parfait. Enfin, ces choses irrationnelles, indéfinissables, ces choses de femmes qui aiment les bébés et, cet enfant-là, je n'y croyais plus !

Mais pour mon mari ce n'était pas pareil. Il était d'accord pour avoir un troisième enfant, mais ne se souvenait plus que les bébés accaparaient beaucoup de temps et pleuraient souvent la nuit. Tous ces moments sont plus difficiles à vivre pour mon homme qui rêvait de m'avoir tout à lui dès que nous serions en sabbatique. C'était fichu !

La maladie de maman

Et comme les choses se bousculent souvent dans une vie, nous apprenions que maman arrivait au terme de la sienne. Vision intolérable pour moi. Impossible de faire une deuxième intervention chirurgicale du cœur à 80 ans, elle ne la supporterait pas.

Comment vous décrire ces moments insupportables de devoir accepter la fin de la vie de sa mère ? De ne rien pouvoir faire sinon l'aimer de tout son cœur, et se résigner à ce qu'elle s'en aille doucement ; l'accompagner en silence.

J'allais souvent lui rendre visite, elle se posait de nombreuses questions, elle avait déjà subi les symptômes de cette maladie et elle les reconnaissait. Moi, je ne pouvais lui dire la vérité, elle me demandait : « Penses-tu que c'est la même chose que l'autre fois, va-t-on devoir m'opérer encore ? » Je lui répondais : « Mais non ! ne t'inquiète pas ! »

Gros mensonge. Trop dur pour moi de lui avouer la vérité, trop lâche, peut-être, mais je ne sais pas si elle voulait réellement savoir.

Alors la tristesse s'installait souvent, j'aurais voulu rester plus longtemps avec elle, mais j'avais aussi ma famille ! Je la quittais, désemparée, laissant papa s'occuper d'elle.

Sachant qu'il n'était pas à la hauteur de la tâche, il était terrorisé par la situation et perdait complètement les pédales.

Heureusement d'autres personnes étaient là pour prendre le relais, mais j'avais quand même l'impression de les abandonner.

La vente de l'entreprise

Après avoir restructuré son entreprise et l'avoir rendue plus concurrentielle, Phil, mon mari, rencontre plusieurs acheteurs dont l'un en particulier qui est très intéressé. Ce dernier, après plusieurs échanges fructueux, achète l'entreprise.

Je n'y croyais plus ; je suis folle de joie ! Je veux qu'on fête cet événement, mais mon mari ne perçoit pas les événements de la même manière que moi, il n'est pas heureux de cet aboutissement. Ces différentes transactions se sont déroulées avec beaucoup de pression et il n'a pas envie de fêter. Tant pis, on le fera plus tard. C'est ce que je pensais alors, mais je ne savais pas qu'un gros monstre avait commencé à le ronger de l'intérieur. Un monstre imaginaire qui allait grossir et lui rendre la vie insupportable, mais...

Après l'euphorie de cette vente surprise, les premières conséquences se pointent à l'horizon, l'acheteur veut un accompagnement d'un an, un an pendant lequel il faudra composer avec cette personne qui n'a pas du tout le même tempérament que mon mari, qui ne voit pas la gestion de l'entreprise de la même manière. Tout un mandat pour quelqu'un qui a toujours dû se débrouiller seul !

Phil décrète de prendre du bon temps au bureau. Il y vient avec son journal, il y est présent, mais absent du travail. Il est devenu un fonctionnaire dans son entreprise, alors, bien sûr, à l'intérieur, ça bout... Il ne parvient pas à prendre du recul, pour lui c'est encore un peu SA société, il n'a pas coupé le cordon. Et, ça, j'ai bien du mal à le comprendre, vu que nous avons mis tellement d'énergie à la vendre, cette maudite société ! Mais dans la vie tout n'est pas toujours très clair, on veut une chose et aussi une autre en même temps, tout est embrouillé...

Il faut dire que les repères de mon mari s'effritent de plus en plus, il n'est plus un patron de société, il n'a plus de maison, il n'a pas encore de projet, bien sûr, il nous a, nous, mais ses repères de GARS où sont-ils ?

Il se sent seul et moi j'ai peu de temps à lui consacrer avec mes allées et venues chez maman et mon petit bedon qui s'arrondit. Je ne comprends pas très bien ce qui lui arrive. Je l'espérais si heureux et je le vois triste, morose et quelquefois susceptible.

Bébé est là

Mais comme la vie est faite de hauts et de bas, voici un moment magique qui se dessine : mon troisième bébé est en route. Nous partons à la clinique, nous savons tous que c'est un garçon, nous l'appellerons Florian, Martin (nom choisi par son frère) et Robin pour faire plaisir à la grande sœur. Je suis très heureuse de cet événement. Mais notre Amandine ne l'est pas du tout, elle m'a fait une crise quand elle a su le sexe du bébé, elle qui voulait tant une petite sœur.

L'accouchement est difficile, le bébé a la tête de côté et j'ai beau pousser de toutes mes forces, il ne veut pas sortir. Je me sens très fatiguée, la gynécologue reste calme et finit par m'appliquer un masque à oxygène pour m'aider et aller chercher le bébé avec une ventouse.

Ouf, ça y est ! Je n'en peux plus, je suis à bout de forces.

J'ai l'impression d'avoir fait les Jeux olympiques mais avec en plus cette douleur au bas du dos qui me broyait à chaque contraction.

Mais ces mauvais souvenirs s'envolent vite quand je peux enfin serrer mon bébé dans mes bras.

Il est magnifique, il ressemble à son papa et j'en suis très fière. Phil me dira plus tard qu'il a eu très peur pour moi et pour le bébé. À la clinique, pendant une semaine, je vais connaître une douce quiétude avec mon Florian.

Nous sommes en symbiose, je le regarde, je l'embrasse, il reste tout contre moi. Ces moments de bonheurs-là sont extraordinaires, on ne peut les remplacer par quoi que ce soit.

C'est le bonheur bête, je veux dire par là qu'on bêtifie, on « gagatise ». Je suis complètement repliée sur moi et sur mon petit bout d'homme.

Phil vient nous voir à la clinique avec ma belle-mère et les enfants.

Ils font des photos, ils se chicanent pour des bêtises et ils repartent pour me laisser encore dans ce cocon d'amour.

J'ai aussi la visite de tonton Guy, notre ami et parrain de Florian. Il prend soin de lui pendant que je m'endors endolorie par mon accouchement difficile.

Heureusement à la clinique, j'ai pu refaire des forces car dès que je rentre à la maison rien n'a changé, mon mari est très renfermé et comme ailleurs.

Les enfants sont heureux de me revoir, mais le lit du bébé n'est pas prêt, tout traîne dans la maison, et j'ai l'impression de ne pas être accueillie chez moi. Je suis triste et je me cache dans un coin pour pleurer mon désarroi.

Maman s'en va

Comme si ce n'était pas assez, maman va de plus en plus mal. Nous nous relayons à son chevet et nous passons les nuits auprès d'elle. Nous sommes quatre à la soutenir et, quand je suis de garde, mille souvenirs me traversent l'esprit et me tordent les tripes.

Et puis, bien sûr, la grande faucheuse s'introduit chez elle un beau matin, bébé a à peine deux mois. J'aurais tant voulu qu'il puisse mieux connaître sa grand-mère. Elle qui savait si bien raconter les histoires aux enfants. Elle s'est éteinte dans son sommeil un jour où je n'étais pas là, c'était bien mieux ainsi car je n'aurais peut-être pas su assumer cette réalité. J'étais encore trop vulnérable, encore trop fragile, dans ma bulle d'amour avec mon Florian.

Ma belle-sœur m'a annoncé la mort de maman au téléphone, j'ai pleuré toutes les larmes de mon corps. Mon grand garçon, Nicolas, m'a entendue et est venu me consoler. Il l'aimait aussi beaucoup sa mamy. Nous étions tous très tristes et ces journées se sont déroulées dans le brouillard et la grisaille.

L'enterrement, les condoléances... Je n'ai jamais su quoi dire quand une personne meurt, je crois qu'il ne faut rien dire, simplement être là, écouter la douleur des autres et poser une main sur l'épaule de ceux qui souffrent. Que peut-on faire d'autre ? Il faut attendre que la douleur s'estompe.

Perdre une mère aimante, c'est perdre un peu de soi. Plus personne ne pourra, aussi bien qu'elle le faisait, nous écouter, nous bercer, nous aimer. C'est très douloureux et très difficile, c'est comme renoncer à son enfance.

Quand on devient parent, on perd son insouciance, mais à la mort de sa mère, on devient complètement adulte.

L'année sabbatique en bateau, oui, mais...

Lorsque nous avions projeté notre année sabbatique, nous avions dans la tête une image de tour du monde en bateau.

Nous avions regardé plusieurs bandes vidéos d'Antoine, le chanteur navigateur, et elles nous avaient donné plein d'envies de voyages.

Cette année sabbatique allait donc se faire en catamaran, c'était la suite logique de notre raisonnement. Nous opterions pour un ce grand bateau sécuritaire où chacun pourrait trouver son espace. Nous traverserions l'Atlantique et nous promènerions le long des côtes de plusieurs pays en faisant l'école aux enfants.

C'était notre premier projet. Après ces quelques mois difficiles et après avoir pris contact avec de nombreux armateurs, on propose à Phil d'accompagner un des bateaux qui se rendent dans les Caraïbes. Phil pourrait embarquer car les armateurs cherchent un équipier pour traverser l'Atlantique.

Une lueur d'espoir s'éveille dans les yeux de mon mari, il va enfin l'avoir son beau grand rêve, il en a besoin.

Tous ces changements l'ont anéanti et depuis le contact avec le chantier naval, « il est aux oiseaux ».

Le voilà parti pour l'aventure, mon homme, content comme un enfant, enfin l'aventure commence. Il me téléphonera dès son arrivée en France, mais, oui, tout va bien se dérouler ! Vas-y, va faire ton rêve, mon chéri. Mais comme tout ne se passe jamais comme prévu, il y a des problèmes avec le bateau, il ne sait pas s'il pourra participer au voyage. Enfin, ça s'arrange et il part.

Moi, je suis inquiète, mais Phil n'est pas tout seul, ils sont trois sur le bateau dont un marin émérite. D'ailleurs, je n'ai pas vraiment le temps de penser : mes deux grands sont à l'école et le bébé me prend le reste du temps.

Nous avions collé des cartes sur le frigo et nous suivions le périple de papa. Nous étions fiers de lui sur son grand bateau, et nous nous racontions les aventures que nous pourrions vivre lorsque nous partirions tous ensemble.

Il y avait trois possibilités : a) tout allait bien et il continuait jusqu'aux Caraïbes ; b) il rentrait pour partager son aventure et nous préparions notre départ ; c) il rentrait et ne repartait plus sur un bateau.

Un matin, le voilà de retour, son sac de marin sous le bras et nous lui sautons au cou. Oui, tout va bien, mais non, il ne repartira pas faire le tour du monde en bateau.

Ils ont eu un temps épouvantable, du matériel endommagé, et il a été malade une bonne partie du voyage. Mais, surtout, il a réalisé le danger de naviguer sans marin expérimenté, car ni moi, ni les enfants ne sommes de grands navigateurs.

Mais après ce retour auprès de nous, tous ses projets de voyage tombent à l'eau, c'est le cas de le dire, et mon petit mari recommence à tourner en rond.

En plus de cette désillusion, nous avions eu la mauvaise idée de placer notre argent à la Bourse, et celle-ci s'était mise à chuter dangereusement. L'argent sortait de nos poches très rapidement et il fallait prendre une décision : qu'est-ce que nous faisons ?

Sabbatique au Québec, un nouveau projet

Nous avions fait, en 1993, un merveilleux voyage au Québec et nous avions adoré cette province. Alors je propose à ma famille d'y retourner en motorisé. L'été, nous irions au Québec, l'hiver aux États-Unis, nous donnerions des cours particuliers aux enfants. Je programme dans ma tête quantité de visites dans les parcs américains et québécois, et de nombreuses découvertes fantastiques. Les baleines, les ours…, nous avions tout rêvé, c'est d'accord, nous y retournons.

Nous annulons un voyage au Portugal pour retourner à Montréal avec les enfants et pour préparer notre futur voyage.

Nous voici partis dans la région de Montréal pendant les vacances de Pâques. Florian et Amandine nous accom-

pagnent. Nicolas doit rester en Belgique car il est en plein examens.

Nous voyageons beaucoup. Nous visitons des cabanes à sucre avec leurs érablières… sans oublier les musées et les parcs.

Nous allons voir de plus près ces fameux motorisés, magnifiques maisons roulantes qui nous permettraient de nous déplacer tout en vivant confortablement avec nos enfants. Nous décidons d'en acheter un d'occasion pour cinq personnes avec tout le confort.

Nous prenons contact avec les propriétaires et signons le contrat de vente.

Ces premières démarches terminées et ayant déjà l'assurance de notre départ pour le Québec, il m'arrive d'observer ce pays avec d'autres yeux, de m'imaginer vivant ici. Pourrai-je vivre si loin de ma famille ? De mes amis ? Comment serai-je accueillie comme immigrante ?

Cette idée de changer de pays me trotte par la tête depuis longtemps et j'en parle de plus en plus souvent à Phil.

Recommencer les choses différemment ? Peut-être ? Je ressens ici une autre ambiance, les gens me paraissent plus détendus qu'en Europe, ça fait du bien.

Nous voici déjà de retour en Belgique, mais nous sommes bien décidés à repartir sans regarder derrière nous.

Nous rencontrons des personnes qui font la promotion du Québec et nous rentrons tout à fait dans le contexte de gens d'affaires ayant des enfants, et francophones de surcroît.

Alors nous faisons à tout hasard notre demande d'immigrants reçus : notre mandat en tant qu'immigrants d'affaires est de créer une petite entreprise employant trois ou quatre personnes.

Nous imaginons un plan d'affaires : racheter une pourvoirie et en faire un centre plein air. Phil travaille là-dessus et est assez emballé.

Notre départ est programmé. Ma belle-mère va habiter dans notre appartement, le temps d'être sûrs de notre décision de rester au Québec.

C'est comme ça que nous partons après avoir fait une grande fête et dit au revoir à tout le monde.

Nous avions loué une salle et nous avions invité tous les amis, toutes les connaissances du quartier, les copains des enfants... Nous leur avions montré les films et les photos que nous avions faits durant notre voyage, en 1993.

À ce moment-là, ils avaient réalisé pourquoi nous avions tout vendu et que nous allions partir. Alors, c'était vrai, les Steinbach s'en allaient, ils avaient drôlement de la chance de se prendre une année sabbatique, et nous leur répondions : « Oui, on a de la chance, mais vous pouvez le faire aussi, il suffit de tout vendre et de tout recommencer. »

Dans ma tête, ce n'était pas un au revoir mais bien un adieu.

Nous partons enfin, j'étais très contente, tout était devenu trop difficile en Belgique, trop de souvenirs douloureux, trop de lourdeur dans la vie de tous les jours.

Une nouvelle vie commençait, pensions-nous, nous ne savions pas alors que ce ne serait pas vraiment des vacances mais le début d'une transformation intérieure pour moi et pour Phil.

Notre fils Nicolas, avec qui nous n'avions pas assez parlé de ce projet, avait été mis devant le fait accompli.

Il avait dû faire face seul à une nouvelle culture, à de nouvelles connaissances, à de nouvelles écoles et ce n'était pas son choix. Alors en le voyant aujourd'hui, jeune homme de 22 ans, plein de vie et d'espoir, je me dis que malgré toutes ces difficultés, il s'est forgé une place dans cette société et une nouvelle existence dont je suis fière.

Quand on est adulte, quelquefois on prend des décisions qui nous semblent bonnes, mais nous n'en évaluons pas toujours l'impact considérable qu'il aura sur notre vie future et sur celle de nos enfants.

Pour les deux derniers, ce n'était pas pareil, Amandine avait 7 ans et était contente de partir en vacances et de ne pas retourner à l'école. Quant à Florian, il n'avait que 8 mois.

Québec, nous voilà

Nous voici arrivés sur un vol d'Air Canada où à bord nous avions été choyés, bébé avait même eu droit à son berceau près d'un hublot.

Nous étions excités et heureux !

Enfin, nous étions dans ce pays où nous avions le droit de transiter pendant six mois grâce à notre visa touristique, mais nous espérions recevoir nos papiers d'immigration durant ce laps de temps. Nous devions alors quitter le pays pour y entrer à nouveau en tant qu'immigrants reçus.

Comme nous ne pouvions pas tout de suite prendre possession de notre motorisé, car nous n'avions pas encore tous les papiers d'assurances, nous nous étions installés dans une suite meublée à Montréal.

Tout le monde était content et les enfants étaient ravis. Il y avait une piscine dans l'hôtel. Les jeunes y nageaient chaque jour et c'est là que notre fille Amandine a fait ses premières brasses avec son grand frère.

Nous visitions Montréal avec les enfants. Nous déambulions dans les rues, c'était l'été, les gens se promenaient relax, ils faisaient du vélo, du patin à roues alignées, ce qui nous étonnait.

En Europe, dans les villes, ce sont plutôt les voitures qui sont prioritaires.

Nous allions à la rencontre de cette nouvelle culture et nous observions avec bonheur nos points communs avec elle. Pas seulement la langue, mais aussi la manière d'aborder la vie, de ressentir les choses, d'aimer « la bonne bouffe »...

Nous nous imprégnions de toutes ces découvertes.

Mais il était temps pour nous de repartir. Notre motorisé était prêt et nous y avions annexé une Jeep qui y serait tractée. Nous prenions possession de notre magnifique engin d'occasion, qui était encore très confortable.

Dans notre nouvelle maison, nous avions une jolie cuisine avec un frigo, une chambre pour les deux grands au-dessus du bloc de conduite, une douche, une dînette qui se transformerait en lit pour bébé, et un lit queen pour papa et maman. Tout semblait formidable.

Nous voilà partis. Nous qui étions habitués aux rues étroites des villes, nous les trouvons gigantesques ici, de même que les centres d'achats, les magasins, les cinémas... et puis, surtout, nous trouvions toujours des soldes (en Belgique la période des soldes est courte et très balisée), tout ça était épatant. Mais nous regrettions notre boulanger, car nous ne digérions pas le pain industriel.

Nous avions dû acheter des casseroles, couverts, verres, tasses, torchons, matelas et même des couvertures. Nous n'avions emporté que le strict nécessaire. C'est-à-dire nos vêtements, la tétine de Florian et sa doudou, bien sûr.

Après avoir fait nos diverses épiceries et déniché les bons magasins, car nos repères ne sont plus les mêmes, nous soufflons et commençons à préparer notre itinéraire de départ.

Début du voyage

Au début de ce voyage, nous nous installons dans un camping de la région de Laval. Là encore nous observons les gens, ils ont l'air heureux. Surtout les personnes du 3ᵉ âge. Ici, on les appelle des aînés. En Belgique, on dit d'eux qu'ils sont vieux et, pourtant, ils sont très actifs. Ces aînés se préparent à s'envoler vers le Sud, comme des oiseaux migrateurs.

Les enfants s'amusent, ils profitent de la piscine du camping, moi, je suis très fatiguée avec bébé qui pleure la nuit. Je me lève tôt le matin pour laisser dormir les autres et je me promène dans le camping.

J'écoute les oiseaux qui chantent, j'observe la nature.

Parfois je me demande si nous avons bien fait de partir. Je récupère péniblement mon énergie et le fait de bouger me fatigue. Je ne réalise pas que nous aurions dû nous arrêter quelque temps pour refaire nos forces, et le voyage me paraît très lourd sans en comprendre le motif.

Phil, lui, a la bougeotte, il va d'un magasin à un autre, cherche des ordinateurs, des machines à si, des machines à ça.

Mais ce qui me chagrine le plus, c'est qu'il dort très mal, il a de terribles maux de ventre et de dos.

Je réussis enfin à le convaincre de voir un médecin qui détecte les maux d'un colon irritable. C'est quoi un colon irritable ? Ça veut dire que tout l'irrite ? Je ne sais pas, le docteur lui a donné des médicaments, mais j'ignore s'il les prend, il déteste tant les médicaments, alors... !

Nous partons enfin rassurés par ce diagnostic vers les Cantons de l'Est. Nous roulons sans passion, car le rêve idéalisé ne correspond pas à nos états d'âme et notre fatigue est immense. Que manque -t-il donc à notre aventure ?

Nous continuons à chercher et à cogiter sur nos promesses de futurs immigrants, il faut absolument rencontrer nos objectifs.

Nous avons le mandat de créer une entreprise. Notre projet d'affaires entre les mains, nous allons visiter les fameuses pourvoiries.

Nous en découvrons une à vendre à Saint-Michel-des-Saints, c'est assez loin, mais la tête remplie de rêves, nous nous y rendons avec beaucoup d'exaltation.

Pour y arriver nous quittons l'autoroute et roulons pendant une heure dans des chemins très cabossés, les enfants trouvent ça génial. Nos futurs voisins seraient les orignaux et un village amérindien.

Nous arrivons à la pourvoirie, l'endroit est magnifique et très calme.

Elle est bien à vendre, mais elle est si loin. Que faire pour la scolarité des enfants, pour la vie tout court ? Mais moi j'imagine qu'on pourrait peut-être s'installer ici....

Phil me prend à part et me dit : « Tu sais, pour moi ce n'est pas possible, je crois que j'ai besoin de la ville, je ne pourrai pas vivre dans un endroit aussi reculé. » En y réfléchissant bien, je me dis qu'il a raison. Folle que je suis de penser qu'une fille de la ville s'habituerait du jour au lendemain à la vie en pleine nature. Nous sommes des citadins et nous avons besoin de la civilisation, de rencontres avec le monde, de musées, de cinémas, de restos....

Nous ne repartons pas trop déçus, mais un peu échaudés. Nous rencontrons pendant un pique-nique de jeunes Amérindiens qui jouent avec nos enfants ; c'est étonnant de les voir essayer de se parler sans se comprendre.

Pauvres immigrants citadins que nous sommes, à la recherche d'un rêve, à la recherche de notre rêve. Seuls face à nous-mêmes, nous débattant avec nos envies et nos illusions, ne sachant plus que faire ni où aller, nous sommes perdus !

Tout en roulant, nous découvrons, éblouis, le rêve canadien : les cabanes en bois rond, les grands lacs, la nature dans sa splendeur.

Alors nous nous arrêtons de penser, nous décidons de vivre ces moments qui s'offrent à nous.

Sur une étendue d'eau, nous apercevons une flotte d'hydravions. Avion magique s'il en est, et nous allons observer d'en haut les beautés de cette fabuleuse nature. Nous décollons avec toute la petite famille, et, bien sûr, un pilote expérimenté. Ça fait un bruit terrible cet engin et notre Florian en profite pour faire son dodo. Les enfants m'étonneront toujours !

C'est magnifique vu du ciel, et puis tant d'espace sans habitations, rien que des arbres à vue d'œil sur des milliers de kilomètres. Nous, les Belges, habitués à vivre les uns sur les autres, nous pouvons difficilement imaginer tant d'étendues vierges. Je scrute la forêt pour découvrir un ours ou un autre animal, mais rien, ils se cachent les coquins !

Je ne me lasse pas de voler comme un oiseau parmi tous ces arbres, je voudrais que jamais l'hydravion ne se pose au sol, mais toute bonne chose a une fin et nous voilà repartis...

Toujours aussi fatigués, nous revenons à Québec, lieu magique que nous avions déjà visité et dont nous étions tombés amoureux.

L'Île d'Orléans nous apprivoise !

Nous décidons de nous installer sur l'Île d'Orléans dans un camping de la municipalité de Saint-François. Nous avons une place magnifique au bord du fleuve où le soir nous allumons des feux. C'est un moment paisible où tout le monde récupère. Amandine se fait des amis, mais Nicolas se sent très seul, car il n'y a aucun adolescent en vacances.

Contrairement à l'Europe, les jeunes Québécois sont plus autonomes et, très jeunes, participent à des camps d'été sans leurs parents. Nicolas n'ayant pas d'amis, il est obligé de jouer avec « des petits » et avec sa sœur. Au bout d'un moment il n'en peut plus de jouer aux poupées et il se trouve un nouvel ami : la lecture. Il se prend de passion pour les « livres de peur » et il les mange littéralement, il les adore. Tant mieux, je suis heureuse qu'il prenne enfin plaisir à quelque chose, dans ce voyage qui n'est pas à la hauteur de nos promesses.

Pendant ce temps, après de nombreuses discussions, Phil et moi arrêtons notre course infernale et nous installons sur l'île pour y refaire nos forces. Nous visitons des maisons à vendre, dont une maison ancestrale qui me plait beaucoup, en bordure du fleuve Saint-Laurent. Je me dis que ce serait l'endroit idéal pour y faire notre nid.

Mais avant de faire une acquisition, nous faisons un essai, nous testons nos capacités d'adaptation à cette

nouvelle vie et nous louons une petite maison dans la municipalité de Saint-François.

Et puis il faut penser à la scolarité des enfants. Puisque nous nous arrêtons, nous les inscrivons dans des écoles publiques proches de notre habitation.

Nicolas entrera en secondaire 2, tandis qu'Amandine devra refaire sa première année n'ayant pas le bagage nécessaire pour suivre en deuxième.

Les enseignants sont très gentils et très accueillants, il nous semble qu'ils ont plus d'ouverture d'esprit qu'en Europe.

Escapade en Gaspésie

Ces bonnes décisions prises, et juste avant que commence l'école, nous nous échappons pour la dernière fois en motorisé pour la Gaspésie.

Nous partons à la fin de l'été et les couleurs des arbres sont chatoyantes, les érablières rougeoient, c'est un spectacle éblouissant.

Mais dès que nous roulons, la fatigue recommence et aussi la difficulté de vivre en milieu clos.

Nous arrivons enfin au bout de la Gaspésie, près du parc Forillon. Nous nous arrêtons dans un chalet qui borde le parc.

Chacun y trouve sa place et sa quiétude.

Nous allons nous promener pendant de longues heures avec les enfants, nous ne nous lassons pas de ce calme, nous prenons plaisir à observer des traces d'animaux, nous rencontrons même un ours brun à l'abord du par-

king du Parc. Et puis, bien sûr, il y a la rencontre avec les baleines. Nous essayons de les observer puisqu'elles viennent ici pour manger. Quel bonheur de rencontrer une baleine à bosse qui vient souffler de la vapeur d'eau devant nos yeux ébahis. Nous visitons le parc

Forillon, avec les castors, et les différentes animations reliées au fond marin, tout nous semble très intéressant !

Nous nous promenons au bord du fleuve qui est tellement large à cet endroit qu'il ressemble à la mer. Les enfants fabriquent un radeau avec de vieux morceaux de bois, puis ils s'embarquent comme des conquérants. J'ai un peu peur qu'ils s'éloignent trop mais ils reviennent, très fiers d'eux.

Ces moments-là sont exceptionnels, mais il est temps pour nous de penser à repartir, l'hiver est proche et les écoles nous attendent.

Stoppés dans notre aventure

Et nous voici, Phil et moi, enfin arrêtés dans notre course folle. Nous revendons notre motorisé avant l'hiver et nous nous arrêtons enfin dans notre maison au toit rouge de Saint-François et ceci pour au moins un an.

Phil ne sait pas encore s'il désire faire sa vie ici ! Entretemps, nous étions devenus des immigrants reçus, c'est-à-dire que nous pouvions résider dans ce pays indéfiniment.

Nous avions d'ailleurs dû quitter le Québec pour recevoir nos cartes d'immigrants, et ensuite y entrer à nouveau. L'accueil que nous avaient réservé les agents de l'Immigration avait été très émouvant.

Ils nous avaient salués chaleureusement au nom du Canada et leur gentillesse nous avait fait chaud au cœur.

Si Phil n'était pas très sûr de sa décision, moi j'avais très envie de vivre au Québec.

La neige commençait à tomber, lourde et profonde.

Je me sentais en sécurité dans ce cocon blanc. Je ne voulais plus repartir !

Mais mon Phil, lui, tournait en rond, il n'était plus sûr de qui il était. Dans la maison, il voulait tout organiser. Il planifiait tout. Il programmait nos moindres déplacements, c'était devenu l'enfer. Je l'envoyais faire du ski, lui qui est un sportif. Il revenait de ses randonnées les yeux vides et sans passion.

Je ne savais que faire, il se plaignait de maux de ventre, de maux de dos. Il essayait de s'occuper, mais rien ne parvenait à résoudre son désarroi intérieur.

Et les enfants dans tout cela ?

Moi, j'avais peu de temps entre mon bébé qui grandissait, qui découvrait tout et les devoirs des deux aînés. Je décidais alors de faire garder Florian. Je me renseignais et je dénichais une très bonne gardienne en harmonie avec ma façon d'élever les enfants.

Je savais que je pouvais lui faire confiance et enfin m'occuper de celui qui m'inquiétait le plus. Un malheur n'allant jamais sans un autre, notre grand fils rentrait de l'école avec un air triste. On se moquait de lui à cause de sa taille, de son accent. Lui qui était merveilleusement intégré en Belgique, il était devenu la risée des enfants de son âge. Lui aussi avait le mal d'être. J'en avais plein les

bras, je ne savais plus à quel saint me vouer. Mais, dans ces cas-là, on avance un jour à la fois.

Je voyais Nicolas devenir de plus en plus maussade et j'en parlais avec Phil. Nous avons pris contact avec la psychologue de l'école. Elle nous a écoutés et a proposé de faire rentrer Nicolas dans un groupe de théâtre. Ce groupe changera sa vie ! Dorénavant, il évoluera sans rejet des autres enfants car il trouvera avec eux une passion commune. Il est enfin heureux. Les études progressent bien.

Puisqu'il n'avait pas encore beaucoup d'amis, nous lui offrons, Phil et moi, le meilleur ami de l'homme. Un gros chien, un superbe Golden Retriever. Philippe va le chercher avec les enfants, mais il revient avec deux chiots : un blanc pour Amandine et un brun pour Nicolas. Nous les appellerons Roxane et Rouki et ils feront partie de notre vie pendant presque dix ans.

Avec Amandine à l'école, c'est difficile, nous devons beaucoup travailler chaque soir. Mais elle fait de grands progrès et nous l'encourageons constamment à faire de nouveaux efforts. Son institutrice va également s'impliquer très fort durant cette première année.

Et il y a aussi de grands moments d'ensoleillement dans notre belle maison rouge.

Les enfants découvrent dans le garage un vieux tracteur à pelouse. Nicolas décide d'en faire sa voiture

personnelle et il s'en va avec sa canne à pêche sur l'é-
paule, s'arrête au bord de notre petit étang pour pêcher...
il ne ramène jamais rien, mais ça n'a pas d'importance, il
est heureux.

Florian aussi adore le petit tracteur et dès qu'il peut
s'échapper, il court sur son gros joujou !

Amandine s'est fait des amis dans le voisinage et passe
ses journées dans la petite piscine hors terre qui fait notre
bonheur à tous.

Florian profite aussi de ces beaux jours pour prendre
des couleurs.

Nous participons aux activités de l'école, nous pro-
posons une visite de Saint-Nicolas où Phil va se déguiser.

Amandine fait partie de la chorale de l'église qui est
organisée par une amie et doucement les enfants s'intè-
grent à notre nouvelle vie.

Mais mon Phil est encore très maussade même si nous
nous parlons beaucoup. Nous nous parlons pendant des
heures !

Nous essayons de trouver des solutions et souvent il
me dit : « J'essaie de comprendre ce qui se passe malgré
cette magnifique expérience, malgré le fait de ne manquer de rien, je ne suis toujours pas heureux, où est cette
foutue clé du bonheur ? »

Je sens bien qu'il a besoin de parler, je voudrais qu'il
sorte plus, qu'il parle à d'autres personnes, mais ce n'est
pas facile, nous sommes des « étrangers » sans repère,
sans racine...

De toutes ces discussions sort une certitude : il faut lui trouver un endroit où il pourra échanger, où il pourra dialoguer. Lui qui a toujours été un homme de communication, il n'a plus personne avec qui partager.

La rencontre avec Réal

Nous trouvons dans un petit journal de l'île une publicité pour une formation en psychokinésiologie.

Phil rencontre Réal (le responsable de cette formation) qui habite près de chez nous et il décide de participer à ses cours.

À l'occasion de ces stages, il peut enfin parler de ses états d'âme. Il discute longuement avec Réal, ils échangent leurs visions philosophiques de la vie et c'est tant mieux, car c'est ce dont mon Phil avait besoin depuis longtemps. Reprendre sa place auprès des hommes.

Il apprend doucement à mieux accepter les situations et aussi à mieux s'accepter lui-même.

Il fait de nouvelles connaissances, dont Jema, notre amie massothérapeute avec qui Phil aura souvent de longues conversations et qui nous prodiguera aussi ses merveilleux massages. Une autre personne très importante pour nous va être notre ami André.

Il donnait un coup de main chez Réal à cette époque, et il nous a proposé de venir nous aider dans nos travaux de la maison. C'est de cette manière qu'une véritable amitié a vu le jour.

Chose très importante car, en tant qu'immigrants, c'est fondamental d'avoir des personnes sur qui on peut compter, des relations de confiance.

Le bateau

D'autre part, dès que Phil va mieux il veut dépenser ses énergies. Comme sa passion c'est toujours les bateaux, il arpente tous les quais. Il lit tous les livres de navigation qu'il peut, et, à force de chercher, il trouve un bateau à vendre qui répond à ses attentes.

Un bateau de voyage, avec deux cabines, une cuisinette et un grand habitacle.

Comme nous venons d'hériter une somme d'argent me venant de mes parents décédés, nous achetons ce bateau.

J'espère qu'il lui donnera le bonheur que Phil attend. De mon côté, je n'y tiens pas plus que ça ! Personnellement, ce que je voudrais, c'est une maison à nous, un endroit où nous pourrions planter nos racines pour moi et pour les enfants.

Nous ressentons très fort ce besoin de nous fixer quelque part.

Nous prenons livraison du bateau, mon Phil est tout heureux. Il le bichonne, il achète des quantités d'instruments de navigation car son rêve de traversée est de retour. Il nous prépare un grand départ vers Tadoussac.

Encore une fois, nous allons rejouer le même scénario : revisiter nos vieux rêves sans avoir compris que ce n'était pas là notre chemin.

Notre première activité

Entre-temps, nous avons toujours en tête de créer une entreprise sur l'Île d'Orléans.

Dans ce dessein, nous avons besoin d'un endroit où exploiter un commerce ou une autre activité.

Nous prenons contact avec une agence immobilière. Le représentant nous signale qu'il a en sa possession un bien qui pourrait nous satisfaire et être exploité en activité touristique ou en auberge.

Il nous propose une ancienne auberge de jeunesse composée de quelques chambres ; l'endroit est très plaisant et s'adapterait très bien à nos désirs. Le propriétaire est prêt à vendre. Nous avons les fonds nécessaires. Nous finissons par l'acheter sous réserve de faisabilité.

Depuis longtemps, Phil ambitionne de mettre au point un centre de ressourcement. Nous y avions déjà pensé en Belgique, mais nous n'avions pas eu l'occasion de mettre ce désir à exécution.

Nous aurions souhaité y organiser des rencontres à thèmes avec différentes personnalités autour de différents types de débats. Une autre option aurait été de créer un centre de thalassothérapie.

Mais dès que nous achetons cette ferme, Phil se sent coincé par sa décision et se demande s'il a bien fait de signer aussi vite. Il me dit : « J'ai été trop vite, je ne me sens pas prêt, cette décision me stresse, elle m'angoisse... »

Sa réaction me laisse perplexe, tout s'arrangeait enfin, mais rien ne se solutionne, nous tournons en rond. Nous ne nous en sortons pas, nous avançons d'un pas et reculons de trois. Que faut-il faire ? Quel est le bon geste à poser ?

L'espoir de réussir ce projet nous paraît tout à coup bien difficile car nous découvrons que le puits situé sur la ferme (sur l'Île d'Orléans, les propriétés sont reliées à des puits artésiens) ne sera pas suffisant pour combler une auberge en eau. Alors, nous nous sentons mal, nous reprenons contact avec le propriétaire et nous lui expliquons que dans ces conditions, nous ne pourrons pas acheter son bien.

Il est très content de rompre son contrat, car finalement il regrettait la vente de sa ferme.

Deuxième partie

Mon rêve se réalise

Notre recherche d'une habitation est toujours une réalité !

Nous recommençons à prospecter afin de trouver cette demeure tant désirée. Elle est devenue comme une obsession, comme un pèlerinage. Chaque jour nous partons en mission sur l'île et nous cherchons, nous évaluons chaque propriété à vendre. Notre attention est toujours attirée par la maison ancestrale que nous avions déjà visitée. Elle est à vendre et bordée de lilas. Le lilas est ma fleur préférée, j'ai toujours planté des lilas partout où j'ai habité et, pour moi, c'est une certitude, c'est là que je veux vivre.

Phil se renseigne. Le prix de la maison est intéressant car le propriétaire est en faillite et la maison est reprise par les banques qui veulent s'en départir.

Nous rencontrons à nouveau notre agent immobilier et nous achetons enfin la maison de mes rêves.

Je la trouve parfaite, tout en pierres, elle me fait penser aux maisons que l'on voit en Bretagne et j'adore la Bretagne.

C'est une maison d'époque qui a au moins deux cents ans et, c'est sûr, elle a une âme. Je la sens respirer, vibrer, je l'aime !

Nous avons hâte d'y habiter, mais nous devons d'abord faire quelques rénovations. Tous les châssis sont pourris et nous devons aussi repeindre et faire certains aménagements au sous-sol. C'est pourquoi dans l'attente d'une maison achevée et entièrement rénovée nous habitons toujours notre maison rouge.

Vacances bien méritées, mais...

Les tracas réglés nous nous accordons une pause, celle-ci correspond aux vacances scolaires et nous voici partis vers Tadoussac en bateau.

Florian et Amandine nous accompagnent, tandis que Nicolas part faire un stage de langue en Angleterre. Notre départ se déroule très bien et Phil est heureux comme un petit poisson.

Nous sommes enfin en vacances.

Deux jours se passent et nous nous arrêtons dans différents petits ports ; au bout du troisième jour nous sommes en vue de Grosse Île.

Nous voguons tranquillement entre les îles quand, installées à l'avant, Amandine et moi voyons des oiseaux au ras de l'eau ; nous trouvons cela un peu bizarre, mais nous ne remarquons rien d'anormal. Trop tard, le bateau heurte un rocher.

Nous n'avons rien vu venir, l'embardée a été tellement rapide. Nous avions pourtant suivi les routes des cartes maritimes, mais comme nous étions à marée basse, il n'a suffi que d'un moment d'inattention pour que le bateau embarque sur le côté.

Dans de telles situations, il n'y a plus que les enfants qui comptent pour moi.

Pendant que Phil lance un appel au secours à la radio, j'attrape Amandine, je vais chercher Florian qui dort dans la cabine et je les entraîne vers le canot pneumatique.

Ils ne comprennent pas, ils pleurent ; plus rien n'a d'importance sauf de les mettre en sécurité.

Nous grimpons dans le canot, Phil essaye de faire démarrer le moteur qui ne veut rien savoir. Ouf, enfin, nous voici partis vers une petite île où nous pourrons attendre en toute quiétude l'arrivée de l'hélicoptère de secours qui va venir nous sauver !

Nous regardons notre bateau se pencher sur le côté et nous sommes tristes ; nos vacances sont maintenant finies.

Ce que nous ignorions, c'est qu'à cet endroit, le fleuve est très dangereux. Il est soumis à la marée et aux courants.

Aucun navigateur ne se promène vers Grosse Île, car il est difficile d'y manœuvrer, surtout pour un bateau pourvu d'une grande quille.

Seuls des marins nés dans la région s'y aventurent.

Mais nous sommes sains et saufs, c'est l'essentiel !

Quelques heures plus tard, l'hélicoptère de secours se dirige vers nous et se pose sur l'île.

Il nous emmène les enfants et moi vers notre maison de l'Île d'Orléans.

Nous pouvons observer du ciel, le fleuve majestueux et notre beau bateau immobilisé contre les rochers.

Les enfants sont impressionnés par cette expérience, ils en oublient la fin de nos vacances.

J'éprouve de la tristesse à laisser Phil derrière moi, mais avec eux je ne peux pas l'attendre. Nous ne savons pas si le bateau est endommagé.

Dans l'après-midi, Phil me téléphone et me dit que le bateau n'a qu'une égratignure, tout est en ordre. Il viendra nous chercher bientôt.

Mais pour moi, c'est fini. Les aventures en bateau, j'en suis écœurée, je ne veux plus en entendre parler, j'ai peur de me retrouver à nouveau à bord.

Amandine non plus n'a plus très envie de repartir.

Pourtant, il faut bien ramener le bateau à Québec, et nous retrouvons notre papa avec beaucoup de bonheur. Mais à partir de ce moment-là, Phil ne sera plus le même, le peu de confiance en lui qu'il avait retrouvée, il l'a perdue. Nous ramenons le bateau à la marina. Le jour du retour, nous nous en allons le cœur gros et la peur au ventre.

Le voyage vers Québec se fait par gros temps, Amandine et moi sommes malades. Florian s'amuse avec ses jouets et trouve ce voyage fort à son goût.

Phil n'est pas bien ; il est inquiet et anxieux. Vivement Québec !

Le retour à la maison est sinistre, mais la vie recommence.

Nicolas rentre de son stage, il est heureux de nous revoir, nous lui expliquons notre voyage à moitié raté et il enrage de n'avoir pas pu faire un tour d'hélicoptère.

Mélancolie et tristesse d'automne

Les enfants vont à l'école, l'automne s'annonce à nouveau, les feuilles tombent en tourbillonnant, comme dit la chanson.

Le paysage est superbe autour de notre maison rouge.

Ce matin, les oies des neiges sont de retour. Nous les entendons cacarder dans le lointain, escadron blanc qui nous annonce le proche retour de l'hiver. Malgré ces dons du ciel, l'humeur n'est pas au beau fixe ; elle est plutôt à la grisaille.

Les bus scolaires viennent de ramasser les enfants et nous nous retrouvons, Phil et moi, autour d'un petit déjeuner à discuter de notre avenir.

Il n'y a plus beaucoup de projets en ce moment, seulement un grand vide, qu'allons-nous faire ? L'argent s'envole si vite, il faut que nous envisagions une solution.

Le stress s'installe et grossit de jour en jour.

Un matin je découvre mon Phil sur son lit, il a très mal au dos, il a du mal à marcher. Pour nous changer les idées nous allons alors nous promener dans un centre d'achats.

Quelles idées ? Des idées noires, bien sûr, nous ne savons plus où nous en sommes. Je me sens démunie face à cet homme qui a toujours été fort physiquement, et qui me semble maintenant si fragile, si amoindri. Son comportement me fait peur, où cela va-t-il nous mener ? Heureusement qu'il y a toujours beaucoup d'amour entre nous.

Phil est obligé de marcher avec une canne tellement il souffre. Il vit très mal ce malaise et est tellement furieux d'être diminué ainsi, qu'il en casse sa canne : « Je n'en veux plus, je veux aller mieux, je veux me sentir mieux ! » explose-t-il.

Mais le bien-être n'est pas revenu, je trouve mon Phil de plus en plus isolé dans ses pensées sombres, dans une espèce de latence.

Il me dit : « Tu sais, ce matin, j'ai vu une corde devant mes yeux, je ne le ferai pas, mais je me sens si mal ! »

Je sais que le fond est atteint, pourtant quand on est dans le trou noir, on doit remonter.

Que dois-je penser de ce discours ? Je perçois son message comme un coup de poing aux tripes, je suis abasourdie, je ne pensais pas qu'il était si mal, si loin de moi, de nous.

Que penser ? Que dire ? Le monde entier me paraît futile et insignifiant face à cette évidence, Phil est très mal.

Nous sommes seuls, très seuls, des immigrants, des « étranges », comme on dit sur l'île.

Et pour l'instant un couple à la dérive.

Je me sens très lasse, très abandonnée.

Il faut que je me relève, que je parle à mon mari, que je trouve une solution. C'est quoi la solution quand on a envie d'en finir ?

Personne ne connaît la réponse, mais dans le cas de Phil, sûrement les longues discussions, l'écoute, l'attention...

Je le pousse encore plus vers des stages de ressourcement, vers des rencontres d'où il revient heureux, mais ce sont de brefs moments, après il redevient vite très ombrageux. Mais je sens un retour du plaisir en lui, il veut à nouveau communiquer. Ces groupes de réflexion lui font énormément de bien.

Pendant qu'il s'ouvre à de nouveaux horizons, je me concentre sur mes petits.

Notre Amandine fait de grands progrès mais moins vite que les autres enfants, et la tâche est longue et ardue.

Je travaille beaucoup avec elle. Il me faut être attentive et à son écoute. Je dois faire preuve de créativité pour qu'elle intègre les différents concepts d'une nouvelle matière, car son attention est très vite distraite dès que nous sommes dans l'abstrait.

Moi, je prends mes quelques moments de solitude pour reconstituer mes forces, j'en ai bien besoin.

Florian grandit et passe ses journées dans une garderie familiale où il est heureux et où il a de nombreux amis.

Enfin, nous nous installons

Eh oui, nous déménageons dans notre propriété, nous avions tant attendu ce moment.

Toute la maison sent bon, et nous nous installons dans de nouvelles habitudes.

Phil va beaucoup mieux avec les projets qui reviennent. Il retrouve le goût de la vie, petit bout par petit bout.

Il ose à nouveau prendre des initiatives et me propose d'acheter le verger situé à côté de la maison, pour reconstituer l'ensemble du domaine.

Nous prenons contact avec le propriétaire et nous signons l'acte d'achat. Ce que nous ne savions pas, c'est que cet homme deviendra notre gentil comptable : Denis.

Celui-ci va cheminer avec Phil dans la logique de la comptabilité. Un ami avec qui échanger et qui lui permettra de mieux comprendre les différentes manières d'aborder la comptabilité au Canada.

Pour nous, c'est aussi la quatrième personne de référence sur qui nous allons pouvoir compter durant ces années.

C'est de cette manière que nous commençons à mettre en place un réseau de contacts de qualité.

Nous voici donc propriétaires d'un verger.

Nous ne connaissons rien à l'agriculture, mais tout s'apprend quand on aime ce que l'on fait. Et les arbres, je les aime depuis toujours. Ils ont été mes premiers amis dans la vie.

Lorsque j'étais enfant, mes parents possédaient un petit verger.

Étant très solitaire, je passais des heures à parler avec mes amis les arbres, à jouer dans leurs ramures. Ils faisaient partie de ma famille.

Alors, c'était un vrai bonheur que de retrouver cette parenté végétale, peut-être la seule dans ce nouveau pays.

C'était sans doute le meilleur moyen pour moi de refaire mes racines. Comme les arbres, je voulais planter profondément mes radicelles dans cette terre du Québec, face au Saint-Laurent, face au vent du nord. Ce vent qu'on appelle, ici, le nordet.

Les enfants avaient aussi maintenant une vraie maison à eux, où ils pouvaient laisser traîner leurs affaires, où ils pourraient grandir, se faire des amis et renouer avec leurs repères.

C'est décidé, nous nous lançons !

Nous voici donc devant le fait accompli et personne pour nous aider : pas de connaissance dans le domaine de l'agriculture, ou de la pomoculture.

Dans ces conditions, la meilleure façon d'avancer c'est de chercher la connaissance là où elle est, et c'est ainsi que nous rencontrerons des agronomes, des techniciens en agriculture.

Nous étudierons les différentes approches de la pomoculture. Notre premier contact est un agronome traditionnel, qui nous donne de nombreux conseils et nous signale qu'il est indispensable pour nous de suivre des cours sur la pulvérisation chimique.

Nous prenons en note ses remarques. C'est Phil qui va se dévouer pour suivre ces fameux cours, car, moi, je dois être présente pour le retour des enfants, les devoirs, etc...

Phil revient des cours en me disant : « Je ne veux pas utiliser tous ces produits chimiques ; je ne suis pas venu au Québec pour polluer ! Alors, ou l'on rase le verger ou l'on trouve une alternative à l'agriculture traditionnelle. »

Bon, c'est très clair.

L'agriculture biologique... pas facile à Québec

Nous décidons de rencontrer un agronome biologique, mais il ne connaît pas tellement le sujet et nous réfère à monsieur Langlais, technicien spécialisé en arbres fruitiers.

Nous le rencontrons donc. Il est le seul à posséder l'expertise de la culture d'un verger biologique dans la région de Québec. Il est débordé mais aussi adorable et nous donne une tonne de livres ainsi que des recherches réalisées par des étudiants sur la pomoculture biologique, que je compulse avec avidité.

Il est toujours fidèle au poste dès qu'il s'agit de répondre à nos questions, et grâce à lui, nous apprendrons enfin notre nouveau métier.

Nous nous informons, par le biais du MAPAQ[1], des différentes revues, des journaux, de tout ce qui se passe dans ce secteur. Et notre formation intense va se prolonger pendant quelques années.

Mais il sera toujours très difficile d'obtenir les renseignements adéquats car le développement de l'agriculture biologique en est à ses débuts.

Alors nous ferons nos devoirs, nous serons patients, glanerons chaque information et apprendrons sur le tas.

Le fabuleux cadeau

À ce moment-là, mon petit mari, sans le savoir, va m'offrir un fabuleux cadeau. Il me dit : « Le verger, il est à toi, ce n'est pas ma passion, alors fais-en ce que tu veux, débrouille-toi ! »

Sa décision me flanque un coup. J'ai toujours été celle qui accompagne, pas celle qui décide, je veux dire dans le business. Phil m'a offert la possibilité de m'épanouir, de découvrir un terrain de jeu encore inexploré par moi.

---

1. Ministère de l'Agriculture, des Pêcheries et de l'Alimentation du Québec.

Il m'a fait confiance, ce qui m'a donné des ailes, toute mon énergie a été déployée vers ma créativité.

Alors, je relève mes manches et je vais regarder mon verger. Il a l'air en bonne santé, sauf que les anciens propriétaires l'ont fait pousser comme une vigne ; enchevêtré dans des fils de fer, il est blessé, il saigne !

Je propose de couper tous ces fils qui le retiennent prisonnier. Nicolas, Phil, et moi, nous travaillons plusieurs mois dans la neige à les cisailler.

Quelle joie de voir enfin nos arbres dépouillés de leurs carcans.

Nous devons aussi décider de ce que nous ferons des pommes, c'est l'occasion de reprendre contact avec notre ami André, qui a une expérience du biologique à Québec.

Il connaît bien le milieu et nous suggère de produire du vinaigre de cidre de pommes biologique, sur ses conseils nous choisissons de nous engager dans ce domaine. Notre première récolte va donc être transformée en vinaigre.

Quel plaisir de voir ces belles pommes, de pouvoir les croquer, elles sont si juteuses, si délicieuses.

Bien sûr, elles ne sont pas aussi parfaites que les pommes calibrées qu'on vend dans les magasins, mais quel saveur !

André va nous inventer des tas de « patentes » pour cueillir les pommes. Je vais avoir un plaisir fou à faire ce travail et à prendre, seule, les décisions concernant le verger.

Nous commençons à transformer notre grange pour y installer notre vinaigrerie, mais il nous manque certaines compétences.

Grâce au hasard, mais il paraît que le hasard n'existe pas, nous rencontrons notre œnologue, Jorj. À partir de ce moment-là, il va nous épauler pour acquérir les connaissances nécessaires et nous donner les moyens de réaliser un très bon vinaigre.

Entre-temps, nous devons nous équiper d'un matériel agricole, et nous revendons le gros tracteur qui est trop dangereux pour notre terrain en pente.

Nous achetons également des quatre roues dans l'intention de ne pas compacter le sol et de lui permettre de mieux respirer.

Il nous faut aussi découvrir des moyens pour nourrir notre verger de manière biologique. Nous lui ajouterons

chaque année un paillis qui attirera les vers de terre, si importants pour la décomposition du sol, et aussi permettre d'accumuler de l'humidité pendant les longs mois d'été.

Pour remplacer l'engrais chimique, nous épandrons de la poudre de roche, de l'émulsion de poisson, etc....

Notre approche du biologique va nous pousser à laisser s'installer des prédateurs naturels, telles les coccinelles, certaines variétés de guêpes, etc. Nous allons aussi faire creuser des étangs pour attirer les chauves-souris qui sont de voraces prédatrices d'insectes.

Nous installons des nichoirs à oiseaux partout dans le verger pour séduire les hirondelles, grandes croqueuses d'insectes, et nous les voyons se remplir dès le printemps.

D'autres oiseaux vont aussi venir nicher chez nous. Comme nous ne pulvérisons pas de produits chimiques, il n'y a aucun danger à ce qu'ils habitent notre verger. C'est ainsi que viennent année après année des pics, des moineaux, des jaseurs, des mésanges, des merles d'Amérique, des pluviers et, bien sûr, les fameuses hirondelles.

Nous devons toutefois, faire quelques pulvérisations.

Comme nous débutons dans cette spécialité, nous choisissons d'appliquer quelques produits chimiques mais très légers.

À notre grand étonnement, impossible de pulvériser. Le matériel tombe en panne, les produits sont manquants et nous sommes obligés de repenser notre façon de faire. C'est comme si le verger décidait de ce qui est bon ou non pour lui.

C'est une expérience très étrange. Plusieurs fois, nous serons confrontés à ce genre d'événement. Comme si une entité mystérieuse nous traçait le chemin à suivre.

Après avoir constaté cette évidence, nous ne faisons plus que des pulvérisations biologiques, entre autres contre la tavelure.

Première récolte

Avec l'aide de Jorj, notre premier vinaigre est réalisé et il est très bon, très doux. On nous dit même qu'il sent le miel. Il est délicieux !

J'étudie l'herboristerie, une autre passion qui se développe et je me dis que ce serait bien d'aromatiser nos vinaigres. Dans le dessein d'avoir une gamme plus large, je crée différentes saveurs : thym et ail, basilic pourpre, estragon, etc...

Comme je n'ai pas le temps de planter toutes ces herbes biologiques, je choisis de travailler avec une ferme qui en fait la culture.

Nous collaborerons donc avec la ferme *Naturo*.

Pour nous faire reconnaître au niveau biologique, nous devons nous faire certifier par un organisme reconnu et nous prenons contact avec le certificateur « Garantie bio Ecocert » qui nous est recommandé par notre agronome. Dans le contrat, nous devons stipuler que nous n'utilisons ni pesticides ni engrais chimiques, et toute notre comptabilité est également vérifiée.

Ils viendront nous inspecter chaque année.

Élaboration des produits

Phil s'occupe de nous dénicher des bouteilles et est ainsi promu chef décorateur. Car pour les bouteilles, il nous faut créer des étiquettes qui reflètent la vocation de notre future société. Après avoir constaté ce qui se faisait sur le marché et comparé nos différentes impressions concernant la décoration des contenants, nous optons pour la sérigraphie qui est une technique de cuisson sur verre.

Après de nombreuses recherches, Phil fera affaire avec une entreprise qui réalisera notre projet.

Il prend aussi contact avec des graphistes qui vont élaborer pour nous la décoration de nos contenants ainsi que des dépliants publicitaires.

Je vois mon homme qui reprend goût à la vie, il est encore fragile, mais les bobos disparaissent tranquillement. Il peut à nouveau discuter avec des gens, échanger, décider.

Afin d'être plus visibles, nous faisons réaliser une enseigne en bois sculptée avec pour inscription, Domaine Steinbach.

Nous la faisons peindre dans les couleurs de jaune et de bleu, c'est très joli.

Voilà, le décor est dressé.

Nous sommes très fiers de nos réalisations, elles nous ont demandé beaucoup de travail et de concentration. Enfin, nous en voyons l'aboutissement. Les travaux du magasin sont aussi achevés grâce à notre ami André. Ce magasin a des allures de magasin général à l'ancienne. Nous y avons ajouté une table et des chaises, ce qui lui donne une touche accueillante, et c'est l'endroit où nous recevrons nos premiers clients.

Nous voici au jour de l'inauguration avec les premières personnes qui viennent nous voir, elles nous encouragent et nous félicitent pour notre bon travail.

Nous accueillons les visiteurs dans notre magasin en leur demandant de déguster et de donner leur avis. Ils adorent faire ces essais, c'est un concept nouveau et ils entrent dans le jeu.

Mais nous n'avons que du vinaigre à vendre, juste du vinaigre, même s'il est aromatisé, c'est juste du vinaigre.

Nous avons la visite d'une responsable de l'OTCQ[2] qui vient nous dire bonjour. Sa première réaction est : «Vous n'avez que du vinaigre ! C'est dommage que votre gamme soit si limitée ! »

Création de notre premier cidre

Nous prenons acte de la remarque de notre visiteuse de l'OTCQ et nous prenons conscience qu'il est indispensable d'agrandir notre gamme de produits. Jorj, qui a toujours de bonnes idées, nous propose de faire du cidre.

2. Office du tourisme et des congrès de Québec.

Nous, nous n'étions pas très amateurs de cidre en Belgique. Souvent, les cidres venaient de France et ils étaient pétillants. Nous n'étions pas très intéressés par ce produit, mais Jorj nous signale qu'il va les élaborer comme dans son pays, la Roumanie.

Faire du cidre, comme on fait du vin, cela me paraît très intéressant et j'adhère au projet.

Il transforme notre jus de pommes en cidre. Celui-ci est terminé pour la période de Noël et nous sommes sous le charme. Désormais, nous allons faire du cidre. Du cidre tranquille, c'est-à-dire du cidre qui ne pétille pas !

Nous devons lui donner un nom avant de le proposer à la RACJ[3]. Nicolas propose un nom : *L'Odyssée*, comme cette aventure qui nous a menés de l'Europe à l'Amérique du Nord.

3. Régie des alcools, des courses et des jeux du Québec.

Nos produits du terroir

Comme j'adore faire la cuisine (sentir les odeurs, goûter les saveurs, les mélanger), la possibilité de jouer avec tous ces ingrédients me paraît extrêmement jouissive.

Je me dis :« Voilà le créneau que je veux explorer : élaborer des produits dérivés de la pomme qu'on va pouvoir utiliser pour cuisiner, et le cidre remplacera le vin. » Cette intuition m'en fera créer de nouveaux et employer surtout le vinaigre pour la transformation, puisque nos compétiteurs pomoculteurs ou transformateurs de pommes, vont d'ordinaire exploiter leur aspect sucré.

Nous choisissons de faire toute une gamme de moutardes pour débuter. Je compulse divers livres de cuisine, je navigue aussi fréquemment sur Internet et je me fixe sur la moutarde au miel. Pour m'aider, je m'adjoins une aide-cuisinière.

Ouverture du *Bed & Breakfast*

Après toutes ces importantes décisions et aussi ces nombreux investissements, n'étant pas sûrs de la rentabilité de l'entreprise (car entre-temps notre magasin ressemble de plus en plus à une entreprise) ; nous jugeons qu'il serait opportun d'ouvrir un B&B dans notre maison, où nous avons deux chambres libres.

Nous nous lançons dans cette aventure en ne sachant pas ce qu'elle impliquera dans notre vie privée, c'est-à-dire plus aucune intimité.

Mais nous n'avons plus le choix, nos moyens financiers étant devenus de plus en plus minces.

Nous ouvrons notre B&B et, à notre grand étonnement, nous avons rapidement une clientèle, nous devons même refuser du monde. Les touristes qui s'arrêtent chez nous pour dormir visitent souvent le magasin. Ainsi une connexion se forme entre les deux activités.

Pendant ces trois années où nous rencontrerons des touristes venant des quatre coins du monde, nous n'aurons pas d'expérience malheureuse et aurons beaucoup de plaisir à échanger avec eux.

Mais ce qu'ils attendent de nous, c'est du temps et un contact étroit avec les artisans. Malheureusement, notre temps est souvent trop restreint et nous devons les quitter trop vite pour vaquer à nos autres occupations.

Philippe va bien mieux, il gère tout son petit monde. Nous travaillons énormément pendant ces années-là, et notre entreprise va son chemin. Nous avons l'occasion de faire de nombreuses rencontres avec la presse écrite qui est intéressée par notre différente manière d'aborder la cuisine. Nous avons des entrevues dans le quotidien *Le Soleil*, *La Terre*, le magazine *Coup de Pouce*, etc.

De nombreuses émissions télévisées sont également tournées chez nous telles *Les saisons de Clodine*, une émission avec le sympathique Daniel Vézina du restaurant *Le Laurie Raphel* et aussi *Cuisiner avec Jean Soulard*, chef exécutif au Château Frontenac. Que dire de cette rencontre, sinon que ce fut un réel bonheur d'échanger

avec une personne aussi authentique et aussi chaleu-
reuse ! Il nous a encouragés et nous en avions besoin
dans ces temps difficiles. Tous ces nombreux articles et
reportages nous aideront à nous faire connaître et accré-
diteront nos différents produits.

Troisième partie

L'entreprise en marche

Conséquences famille-travail

La vie de famille est compliquée, il y a peu de place pour Florian. Il est anxieux ; ce n'est pas facile pour lui de partager sa maison avec des étrangers.

Il se cache le matin dans l'escalier et il frappe contre le mur pour me montrer qu'il est présent. Je dois alors le prendre dans mes bras pour qu'il descende. Il enfouit son visage au creux de mon cou pour ne pas voir les visiteurs. Je sens combien c'est difficile pour lui.

Amandine, elle, continue sa petite vie indépendante dans son école de Sainte-Famille. Elle y a peu d'amis, car, en classe, il n'y a que des garçons. À cet âge-là, les garçons, ce n'est pas encore très intéressant. Heureusement, c'est une petite fille pleine d'imagination et elle parvient à jouer seule pendant des heures. Elle n'a besoin de personne.

Elle est très autonome depuis toujours !

Nicolas, après avoir vécu des moments pénibles d'adaptation, est en ski-étude dans une classe au Mont Sainte-Anne. Il va y rester pendant deux années et puis va arrêter le ski pour suivre l'enseignement traditionnel et participer à des ateliers de théâtre où il sera très heureux.

Pour lui, tout va de mieux en mieux !

Son adolescence aussi commence à se faire sentir et il est franchement un peu casse-pied, mais au moins il est bien dans sa peau. Il découvre de nouveaux horizons : les amis, les copines et aussi la liberté de sortir seul.

Recherche de nouveaux produits

Je passe toujours beaucoup de temps à rechercher de nouveaux produits.

De nouveaux cidres s'ajoutent également au premier cidre tranquille.

Nous faisons des cidres de forces différentes bien adaptés aux repas et nous visons particulièrement un cidre apéritif.

C'est alors que notre cher Jorj nous parle de son cidre de glace qu'il vient de mettre au point en refaisant son cours à l'Université Laval. L'idée me plaît énormément.

C'est un cidre liquoreux qui est obtenu par la congélation du fruit ou du jus. Dans notre cas, cela va être le jus, nos pommes étant biologiques. Nous ne pouvons pas attendre trop de temps avant de les presser car nous n'ajoutons aucun produit chimique pour les conserver.

Cette technique permet d'enlever l'eau de la pomme tout en gardant le concentré du jus.

Celui-ci, avec un taux de sucre plus élevé, va fermenter et donner un résultat plus fort au niveau de l'alcool.

Nous ajoutons donc ce cidre à notre gamme de produits. Il devient le premier cidre de glace biologique du Québec. Il s'appellera *Cristal de glace*.

Les prochains produits vont être des moutardes telles que : moutardes aux tomates séchées et au basilic, à l'ail et au persil, à l'aneth, à l'orange, et aussi un fabuleux confit d'oignons au vinaigre de cassis et au sirop d'érable.

Pour avoir un choix de produits encore plus étendu, nous nous lançons dans un élevage de canards afin d'en faire des pâtés, des confits et des terrines.

Sur l'île, nous nous fournissons également auprès de la ferme *Orléans* qui fait l'élevage de volailles. Ce produit du terroir étant en demande croissante, nous avons besoin d'autres fournisseurs car notre élevage est trop petit.

Notre objectif, depuis le début, est de rassembler plusieurs artisans dans le but de travailler ensemble à un produit de qualité et de faire valoir le terroir de l'Île d'Orléans.

Un réseau s'organise auprès des artisans et des organismes gouvernementaux tels le CLD[4] et le CAADRQ[5] qui aident à la mise en marché des produits du terroir. C'est une très bonne idée pour les producteurs qui choisissent de mettre leurs produits en tablettes. Mais il faut savoir que ce genre de mise en marché demande un suivi constant et des visites régulières dans les magasins d'alimentation.

Nous avons alors deux possibilités : faire plus de quantités de produits et nous agrandir pour nous intégrer dans ces nouveaux marchés ou bien rester artisans. Notre but premier est de réaliser de nouveaux produits, faire de la

4. Centre local de développement.
5. Conseil de l'agriculture et de l'agroalimentaire pour le développement de la région de Québec.

création. Nous ne voulons pas adhérer à ce type de marché qui va nous obliger à faire des produits stéréotypés et à la chaîne. C'est dans cette optique que nous recentrons toutes nos forces dans le domaine et que nous mettons en place plusieurs activités pour devenir une attraction agrotouristique.

Cap vers l'agrotourisme

Comme l'Île d'Orléans, Québec et la Côte-de-Beaupré sont les lieux les plus chargés d'émotions et d'histoire de l'Amérique du Nord. Ils sont très recherchés et visités par un public intéressé par le retour aux sources mais aussi par l'empreinte française ou européenne qui est inscrite dans cette province.

Nous réfléchissons à la manière d'apporter tout le cachet de cette époque à notre entreprise et c'est dans cet état d'esprit que nous nous costumerons comme au début de la colonisation. Pendant tout l'été, nous portons chapeaux

et longues robes, ce qui donne au domaine une touche différente, une touche de la vieille Europe.

Nous terminons nos transformations par un centre d'interprétation muni de plusieurs panneaux explicatifs. Nous y installons également deux téléviseurs pour visionner des films et des diaporamas se déroulant pendant la saison au domaine. Ce qui fait que nous attirerons des touristes intéressés par les dégustations mais aussi par l'histoire de la propriété.

Notre façon d'aborder le touriste est très différente des autres entreprises agricoles. Nous accueillons nos visiteurs en leur faisant déguster nos différentes saveurs mais, aussi, nous leur expliquons notre manière de travailler en agriculture biologique.

Nous recevons également chez nous, des écoles d'agronomie, des étudiants en tourisme, en agriculture biologique, des entreprises travaillant à l'élaboration de produits phytosanitaires pour les infestations parasitaires, etc.

Nous avons aussi encadré des étudiants français d'une des plus prestigieuses écoles de France (École Polytechnique), et aussi des étudiants belges qui viennent suivre des stages d'agronomie biologique.

Tous ces jeunes découvrent le Québec et se frottent aussi au travail d'une PME agricole.

Nous les accueillons avec un plaisir partagé et notre famille s'agrandit encore.

Pour notre Nicolas, c'est épatant d'avoir tous ces amis à la maison. Les « partys » sont nombreux. Mais nous, nous sentons la fatigue nous gagner, car il faut tout superviser, tout encadrer.

L'équipe du domaine

Je vous ai peu parlé de notre équipe. Au cours de toutes ces années elle s'est constituée d'une cuisinière à plein temps pendant les mois d'été.

Celle-ci ou celui-ci, suivant que c'était une femme ou un homme, a été très difficile à garder. Les personnes travaillaient bien, mais nous quittaient puisque nous ne pouvions que leur offrir du travail saisonnier. Elles décidaient de suivre des cours pour apprendre une autre profession ou étaient malhonnêtes : elles copiaient nos produits pour les fabriquer ailleurs.

Pendant quelques années, ce fut très difficile. Pour la cuisine, bien sûr, je supervisais, mais entre les repas, les enfants qui étaient encore en bas âge, et le gîte, ce n'était pas facile.

Pour ce qui est de l'équipe vente, ça roulait mieux, les jeunes faisaient bien leur travail, mais il fallait les diriger et les suivre.

Chaque jour il fallait recommencer, surtout pendant la période de l'adolescence. Plus d'un d'entre eux ont fait des crises de découragement et nous devions les entourer, les rassurer. Bref, tout un boulot.

Mais depuis quelques années, nous avons rencontré une équipière de choc, notre amie Vicky qui abat un travail considérable. Qui est toujours de bonne humeur et toujours prête à faire le maximum. Plus tard, elle nous a présenté Ginette qui, elle aussi, travaille très bien et nous apporte un apport précieux.

Nous pouvons enfin nous reposer et nous fier à des personnes stables et responsables. Ouf, on n'y croyait plus !

Quel plaisir de pouvoir compter sur du personnel qui nous rend la vie tellement plus simple. Dans les autres équipes, nous avons notre fils qui est le pilier de la vente et puis notre Amandine qui commence à donner un bon coup de main.

Il y a ma belle-mère dite Manou qui nous aide pour les salons, les expositions, les envois et la comptabilité. Elle est une aide précieuse et dynamique dont nous avons besoin.

Il y aussi ces jeunes qui nous ont suivis tout au long de ces années. Il y a Catherine, enthousiaste et dynamique, qui nous a quittés pour un travail plus stable mais que nous revoyons toujours avec plaisir. François-Xavier qui est encore parmi nous cette année, ami de notre fils Nicolas, et qui fait presque partie de la famille. Il y a eu aussi Sylvain, Marie Pier, Ève, Audrey, Jacinthe, Caroline, etc. Nous sommes fiers de tous ces jeunes et de ce qu'ils sont devenus.

Ces dernières années, nous avons l'impression que des systèmes de fonctionnement se sont mis en place et que tout notre travail donne enfin le résultat de nos efforts. L'équipe tourne bien et travaille en harmonie. Nous parvenons à prendre un peu plus de temps pour nous et pour nos enfants. Et nous maîtrisons parfaitement toute la chaîne de transformation, que ce soit au niveau des cidres, du déroulement en cuisine, ainsi qu'au niveau de l'administration.

Nous commençons à penser que le meilleur est à venir !

Quatrième partie

Réflexions

Plaidoyer pour les artisans

Pendant ces quelques années de dur labeur, nous allons voir autour de nous le travail de ces artisans courageux qui, la plupart du temps, ne sont malheureusement pas soutenus.

Comme c'est dommage tout ce travail investi qui va souvent aboutir à une fermeture, ceux-ci étant épuisés, désabusés, écœurés. On leur demande de remplir autant de tâches que le font les grandes entreprises et avec beaucoup moins de revenus. Ils sont confrontés à une paperasse administrative épouvantable. Ils doivent se mettre en marché eux-mêmes, suivre leur clientèle, et avoir des produits performants tant au niveau de la qualité que du prix.

Pourtant ces PME sont souvent le filet social des petites communautés et même des villes.

Si nos artisans boulangers, pâtissiers, cidriculteurs, vignerons, fromagers, bouchers, agriculteurs... disparaissaient ? Qu'adviendrait-il de tous les emplois qu'ils créent dans nos régions. N'y aura-t-il pas, comme résultat, un plus grand dépeuplement ?

On sait que les villages sans école et sans artisans finiront par être désertés, la clientèle jeune ne pourra pas s'y intégrer.

Réflexions sur l'immigration

Comment parler de l'immigration ?

Il y a deux sortes d'immigration : celle qu'on choisit et celle qui est imposée par la politique d'un pays et qui met les gens en danger. Le manque de ressources ou de travail oblige aussi des personnes à s'exiler.

Dans ce dernier cas, il n'y a aucun choix. C'est sauver sa peau et devoir partir en regrettant sans doute de laisser son passé et sa famille derrière soi.

Et puis, il y a l'immigration qui est un choix. Ce qui nous pousse à partir est particulier à chacun de nous, mais c'est sûrement la recherche d'autres horizons. Pour ma part, c'étaient les grands espaces, la sécurité physique, le travail.

Personnellement, je pense n'avoir jamais pu me faire une place dans mon pays d'origine, je me sens plus proche de la mentalité nord-américaine.

Il s'agissait donc d'un choix.

Au domaine, nous rencontrons des Européens très intéressés à venir vivre au Québec ; ils se renseignent et leurs yeux brillent devant l'immensité des territoires québécois et canadiens.

Ils viennent chercher des explications, ils veulent savoir comment s'est passée l'adaptation ? Comment se déroule la vie ici ? Comment vivre l'hiver ? Ils cherchent des informations, mais en trouvent difficilement. Et nous avons peu d'endroits où les référer.

Ce qui les intéressent par-dessus tout c'est notre vécu, notre expérience.

Pour les immigrants, qui voudraient s'installer ici, ce qui les fait beaucoup hésiter, c'est que leurs diplômes ne soient pas reconnus, et, dans ces conditions, ils préfèrent rester dans leur pays, plutôt que recommencer leurs études au Québec.

Nous leur disons : « N'essayez pas de reproduire ce que vous avez chez vous. Ici, c'est le Québec avec sa parlure et sa manière de vivre. Si vous voulez vous y installer, il faut accepter sa culture. »

Il ne faut pas y venir pour y trouver une meilleure approche pédagogique ou une médecine gratuite. Mais simplement par ce qu'on ne peut s'empêcher d'aimer ce pays et les gens qui l'habitent.

Changer de pays, c'est comme choisir un amoureux : on le regarde, on l'aime, on l'épate. On a envie de vivre près de lui.

Mais quand on est immigrant dans un pays qu'on a choisi, on se rend compte au bout de quelque temps qu'on n'est plus tout à fait ni belge, ni français ou autre, mais qu'on n'est pas tout à fait québécois non plus.

On navigue entre deux cultures. On n'est pas tout à fait d'ici et l'on n'est plus de là-bas.

C'est très intéressant comme expérience. C'est très enrichissant de voir les événements avec des visions différentes, mais cela peut être aussi très déstabilisant. Pour certaines personnes, cette situation est sans doute plus difficile et elles vont se rassembler autour de leur culture d'origine pour ne pas perdre leurs repères.

Conclusion

Avec toutes ces années derrière nous et tous leurs rebondissements, je me dis que je suis très heureuse que nous nous en soyons sortis aussi bien.

Nous avons souvent joué avec le feu, mais nous avons eu l'immense bonheur d'avoir été au bout de nous-mêmes. Nous n'avons ni regrets, ni tristesse. Mais une sensation très agréable du devoir accompli. Non seulement nous avons pu nous réaliser dans un travail que nous ne connaissions pas, mais nous y avons intégré nos enfants qui eux aussi ont pu faire l'expérience d'une activité satisfaisante.

Nous avons pu grandir, mûrir comme un bon vin ou plutôt comme un bon cidre, et notre expérience est aujourd'hui un acquis indéniable.

Nous avons réalisé combien il est difficile de changer de pays, de débuter une nouvelle entreprise. Et combien les immigrants doivent avoir de patience et de courage pour trouver leur place dans une nouvelle communauté.

Notre intégration est réussie, le Québec est devenu notre pays où, j'espère, nous avons été adoptés. Lorsque nous partons en vacances, c'est du Québec que nous disons : c'est notre pays.

Nous nous y sentons chez nous.

Mais les hommes et les femmes ne sont-ils pas un peu nomades ?

Il se peut qu'un jour nous repartions vers d'autres cieux, mais dans notre cœur le Québec restera un coin de paix et d'amour.

C'est l'endroit où nous avons eu l'envie d'élever nos enfants et où nous nous sentons bien.

Nous pouvons aujourd'hui regarder le passé avec tendresse et nous rendre compte que nous avons été les réalisateurs de notre vie et en être fiers.

Nous avons fait tout cela sans plan d'affaires et sans expérience. Avec le recul, c'est la preuve que notre intuition était bonne. Nous nous sommes fait confiance, mais nous avons également été puiser toute la connaissance auprès de personnes compétentes, ce qui est indéniablement la loi du succès.

Nous avons misé sur nos ressources et sur notre énergie ; nous avons lancé les dés et nous sommes arrivés avec tellement plus de confiance en nous et un amour qui s'est épanoui, et qui a grandi, jour après jour.

Si nous devions tirer une conclusion de ce parcours de vie, ce serait sans doute que nos racines et notre maison se situent à l'intérieur de nous.

Nous sommes capables de nous adapter à d'autres pays, à un autre travail, de nous faire de nouveaux amis, mais seulement si nous nous sentons en harmonie avec nous-mêmes.

Plans d'avenir

Dans ma vie, ma priorité a toujours été mon mari et mes enfants. C'est pourquoi j'avais déjà choisi, en Belgique, une qualité de vie plutôt qu'un plan de carrière. J'avais donc opté pour des horaires allégés afin de pouvoir leur consacrer plus de temps.

En nous accordant cette année sabbatique, j'espérais aussi privilégier la vie de famille, le dialogue, le plaisir d'enseigner aux enfants et d'aborder la vie d'une manière différente. Ce rêve n'ayant pas abouti, il a fallu reprendre le chemin de l'école et retrouver tous les soucis scolaires, en tout cas pour les deux petits.

Pour Nicolas, tout allait bien au secondaire, ensuite il a continué son cheminement intellectuel jusqu'au cégep pour le terminer en journalisme à l'Université Laval.

Mais pour nos deux derniers, ce n'était pas pareil, ils ne suivaient pas bien en classe, ils étaient distraits.

L'école n'intéressait pas du tout ma fille, son imaginaire lui procurait infiniment plus de plaisir que l'enseignement en classe.

Après six ans d'aide et de soutien, je me suis dit qu'il devait y avoir un autre problème. J'ai rencontré un pédiatre et j'ai lu de nombreux livres sur les problèmes d'apprentissage.

Tout cela pour me rendre compte que probablement ma fille et Florian avaient des troubles d'apprentissage et des déficits d'attention avec ou sans hyperactivité.

Je n'avais jamais entendu parler de cet handicap ! Quand j'étais petite, on disait de ces enfants qu'ils étaient paresseux ou imbéciles ou tout simplement distraits.

C'était quelque chose de tout à fait étonnant de me rendre compte que moi aussi, durant mon jeune âge, j'avais souffert de ce même problème.

Il me semblait toujours être en retard d'une année scolaire et ne jamais pouvoir rattraper le niveau des autres enfants.

Je comprenais enfin ce que j'avais vécu et par où j'étais passée. J'étais heureuse de démystifier ce problème et d'en parler avec mes proches. Ils avaient hérité de ce trouble de leurs parents, car Phil lui aussi se rendait compte de sa difficulté à se concentrer et de son hyperactivité qui l'avait souvent conduit à poser des gestes irrationnels.

Mais en faisant des recherches, j'ai réalisé que nous n'étions pas seuls dans ce cas, dix pour cent de la population du Québec a ce type de problème, c'est énorme !

J'ai appris aussi qu'il existe différentes associations qui s'occupent de ce trouble qui n'est pas lié à l'intelligence mais à un déficit d'une substance dans les connexions neuronales.

Ce trouble est considéré comme un véritable handicap, on peut le comparer à une personne myope qui a besoin de lunettes pour fonctionner. Personne ne penserait à lui dire : « Ne mets pas tes lunettes. » Il lui faut des outils pour mieux voir, c'est pareil pour ce type d'enfants. Bien sûr, il y a le fameux Ritalin qui fait beaucoup de remous dans l'opinion publique. Cependant, quand l'enfant a été testé et qu'il n'arrive pas à fonctionner, il faut bien trouver une alternative. Car, à force d'obtenir de piètres résultats, il va se désintéresser de l'école et penser : « Je suis un pas bon ! »

Il faut encourager énormément ce type d'enfants, les encadrer, car ils manquent souvent de structures...

C'est pourquoi aujourd'hui je mets toute mon énergie dans ce nouveau combat.

C'est compliqué et long, il faut les soutenir pendant leur scolarité. C'est un encadrement de tous les jours pour les parents. Je comprends que de nombreux jeunes qui, par ailleurs, sont souvent pourvus d'une brillante intelligence et d'une créativité peu commune, décrochent si facilement de l'école.

Je rêve d'une école où l'on pourrait les orienter en rapport avec leur capacité intellectuelle et aussi avec leurs faiblesses. Une école qui ne fasse pas de perdants, mais qui donne envie à TOUS les enfants d'apprendre.

De nos jours il est très difficile d'être différent ; il faut que nos enfants et nous-mêmes soyons les plus beaux, les plus forts, les plus performants. Et quand ce n'est pas le cas ? Peut-être l'alcool ou la drogue aident-ils à oublier tous nos manques ?

J'aimerais que l'école accueille nos enfants avec une ouverture d'esprit et un plaisir partagé. Ainsi en leur donnant toutes leurs chances d'apprendre, il en résulterait ni rivalité, ni jugement.

Participer à un travail d'équipe leur donnerait les outils nécessaires pour collaborer dans le futur et une compréhension efficace. Si tout le monde avait sa chance, peut-être y aurait-il moins de violence, de taxage, de vols et de dépressions !

Pour les enfants hyperactifs, il est essentiel de leur faire pratiquer beaucoup plus de sports à l'école. Imaginer toutes les écoles en sport-études ou en théâtre-études. Il faudrait que ces jeunes aient accès à ce type d'études autant que les plus performants.

Car où peuvent-ils exprimer leurs frustrations, ceux qui ont tellement de difficultés scolaires ? Où peuvent-ils focaliser leur violence ? Quel jugement portent-ils sur notre société ?

Auront-ils envie d'adhérer à ce type de vie ou préfèreront-ils naviguer dans un monde parallèle où ils iront développer leur créativité ?

J'aimerais qu'un jour nous acceptions les gens comme ils sont, que nous les laissions cheminer sans les juger, qu'ils puissent faire de leur vie un acte de création. Quel merveilleux cadeau à se faire et à leur faire !

Et pour le futur ?

Et pour le futur, plus de temps pour Phil, pour moi et les enfants. D'autres défis à relever, d'autres livres à écrire ? Des reportages cinématographiques ? Une nouvelle entreprise de communication ? Enfin, de nombreux projets en tout cas.

Recommencer encore une fois, mais sur d'autres bases.

Vivre une autre année sabbatique, sans bateau, sans changement de pays, mais apprendre de nouvelles choses, garder l'esprit ouvert et s'offrir le futur tel qu'on le rêve !

Table des matières

Originaires de la Belgique, **Claire et Philippe Steinbach** sont respectivement rédactrice et électronicien de formation. À 40 ans, ils décident de tout vendre pour vivre une année sabbatique !

L'année sabbatique… s'est avérée bien différente de celle qu'ils avaient rêvée et s'est transformée en une année d'errance et de déstructuration. Une année sabbatique, pas comme celle que l'on espère, mais de celle où l'on grandit. Une année… qui comme un bateau brisé peut se reconstruire et voguer à nouveau.

L'ouvrage, présenté tête-bêche, *L'année sabbatique au féminin* par Claire Steinbach et *L'année sabbatique au masculin* par Philippe Steinbach est un petit bijou. Partant d'une même expérience de vie, ils dévoilent leur complémentarité et leur complicité face aux événements de ces dix dernières années avec leurs trois enfants.

Jean Soulard, chef exécutif du Château Frontenac à Québec, écrit dans sa préface pour Claire : *Dans ce livre, il n'y a pas de hasard, il y a du travail. Il n'y a pas de doute, il y a du courage. Il n'y a pas de regret, il y a la vie.*

De son côté, **Jacques Salomé**, écrivain et formateur, écrit dans sa préface pour Philippe : *On devrait offrir une année sabbatique à tout être humain, au mitan de sa vie, pour lui permettre non pas de faire autre chose mais d'être*

autre chose, de se rencontrer, de se découvrir et d'explorer
peut-être quelques-uns des recoins secrets de sa vie.

Dans un monde où tout tourne si vite, où l'on ne trouve plus le temps de partager, de donner, d'aimer... le lecteur aura l'occasion de prendre part à ce merveilleux voyage initiatique teinté d'humour et d'émotions fortes. Différents sujets y sont abordés : la vie de famille, l'immigration, la difficulté d'intégration, le burn-out et la création d'une entreprise agrotouristique.

L'année sabbatique... un must... le lecteur trouvera entre les lignes de cet ouvrage, les messages de vie qui pourront accompagner les possibles d'une année sabbatique à venir.

Domaine Steinbach
2205, chemin Royal
Saint-Pierre, Île d'Orléans
Québec G0A 4E0

Téléphone : 418-828-0000
Télécopieur : 418-828-0777

info@domainesteinbach.com
www.domainesteinbach.com

Philippe Steinbach

L'année sabbatique...

au masculin

LES ÉDITIONS
FRANCINE BRETON

<u>ÉDITIONS FRANCINE BRETON INC.</u>
Collection « Autobiographie »

Conception graphique
et mise en pages : Ginette Grégoire

Photographies : Philippe Steinbach

L'année sabbatique... au masculin
© 2005, Philippe Steinbach

ÉDITIONS FRANCINE BRETON INC.
3375, avenue Ridgewood, bureau 422
Montréal (Québec) H3V 1B5
Téléphone : 514-737-0558
info@efb.net
www.efb.net

Dépôt légal : 1er trimestre 2005
Bibliothèque nationale du Québec
Bibliothèque nationale du Canada

Distribution : Diffusion Raffin
Téléphone : 450-585-9909
Télécopieur : 450-585-0066

ISBN 2-922414-36-1

*Si l'on n'écoute pas,
si l'on ne voit pas
ce que la vie veut nous montrer,
alors elle se chargera de nous arrêter.*

Préface

En matière de relations humaines, je le savais déjà, il n'y a pas de solutions, seulement des évolutions et, parfois, des révolutions. C'est l'aventure d'une révolution lente qui nous est proposée ici dans le récit d'une tranche de vie qui a bouleversé l'existence de toute une famille.

On devrait offrir une année sabbatique à tout être humain, au mitan de sa vie, pour lui permettre non pas de faire autre chose mais d'être autre chose, de se rencontrer, de se découvrir et d'explorer peut-être quelques-uns des recoins secrets de sa vie.

Philippe Steinbach nous fait entrer dans une année sabbatique qui s'étendra sur plusieurs années et qui le conduira au plus près de lui-même et de ceux qui sont proches de lui.

Ce petit livre décrit l'aventure d'une double transhumance ; le passage d'un pays à un autre, d'une vie à une autre. Le passage d'une culture assimilée à une culture à découvrir et à ré-inventer.

Chacun d'entre nous a dû rêver à un moment ou à un autre de se donner un supplément de vie, plus intense, plus dense, plus présent, et que certains osent réaliser.

S'il est des rêves qui surgissent et nous emportent loin d'un seul coup, il en est d'autres qui mûrissent longtemps et qui nous déposent au bord d'une réalité parfois très

loin de notre imaginaire. Le rêve de Philippe Steinbach était de voyager, d'acheter un bateau et de se laisser aller sur les flots de l'aventure avec sa famille.

Après quelques essais, son rêve le déposa au bord du Saint-Laurent, dans les bras de l'Île d'Orléans pour y créer un royaume qui soit en correspondance avec ce qu'il est. Et surtout l'année sabbatique est aussi le récit d'une mise au monde, pour apprendre à quitter le personnage avec lequel on a survécu durant des années pour enfin rencontrer la personne que l'on est, qui attend tout au profond de soi de se réaliser.

Car au-delà des rencontres significatives qui traversent une vie, c'est la rencontre avec soi-même qui reste la plus importante, la plus essentielle.

Pour beaucoup, et cela semble avoir été le cas de Philippe Steinbach, il est toujours possible de fuir dans le travail, dans l'activisme, dans le désir de voyager, mais comme disait ma grand mère : « Où qu'on se tourne, où qu'on aille et aussi vite qu'on y aille, on a toujours notre derrière …derrière soi ! » Et en bon français, le derrière se dit aussi le fondement !

Changer de vie, cela veut dire en général vivre autrement, mais vivre un autrement qui nous tire vers le haut, vers le meilleur de nous-même c'est, je le crois, ce qui s'est passé au cours de ces dernières années pour cet homme et sa famille.

La leçon de vie que Philippe Steinbach en tire est très belle et me rejoint tout à fait : « …L'instant présent est tout ce que j'ai, l'instant présent est ma seule certitude. »

Serait-il possible d'ajouter que l'instant présent devient mon seul avenir quand je le libère des répétitions du passé.

J'espère à chacun de trouver entre les lignes de ce livre, les messages de vie qui pourront accompagner les possibles d'une année sabbatique à venir.

JACQUES SALOMÉ
Auteur et conférencier

À mon épouse Claire
qui a toujours cru en moi.

À mes enfants Nicolas, Amandine et Florian
qui me font grandir un peu plus chaque jour.

À la vie !

Introduction

Comment écrire, moi qui aime tant parler ! L'écran de l'ordinateur ne me sourit pas et n'exprime aucune émotion.

Mais grâce à Claire, mon épouse depuis bientôt trente ans, grâce à la façon dont elle me ressent à travers elle, les mots pour me regarder aller me viennent enfin.

Dans un monde où tout tourne vite, on ne trouve plus le temps de se partager, de donner, d'aimer. C'est pourquoi, après bien des péripéties, nous avons vendu la nouvelle voiture, l'entreprise de téléphonie en Belgique et notre maison. Nous avons choisi de réaliser le rêve que nous avions en tête depuis de nombreuses années, un rêve que chacun voudrait réaliser un jour. Ce rêve, qui demande du courage, de l'audace et de la détermination, ne sera pas toujours un rêve. Ce rêve, vous l'avez sans doute deviné, c'est une année sabbatique !

Le déclenchement

Depuis quelques années, j'ai fait le grand saut et créé ma petite entreprise de téléphonie à Bruxelles. Déjà huit ans que je cherche comment faire le bonheur des autres et performer dans la hiérarchie déshumanisée des affaires.

Récemment nous sommes devenus propriétaires d'un appartement en ville, pour être plus proches de notre entreprise.

Une semaine déjà que j'ai acheté ma nouvelle voiture, l'aboutissement de ce que j'appelle « la bagnole », pas par snobisme, mais par goût du beau et du fonctionnel ; couleur, boiserie, cuir, climatisation…

Une semaine déjà que je rends la vie infernale à mes enfants, Nicolas et Amandine, qui ont respectivement 13 ans et 6 ans. Ces petits monstres n'arrêtent pas de mettre leurs pieds sur les fauteuils, de planter leurs griffes dans le cuir délicat des accoudoirs, de jouer avec tous les boutons, et j'en passe. À force de les surveiller pour les empêcher de faire des bêtises, j'ai défoncé le carrosse rutilant contre un poteau de stationnement insidieusement caché au milieu d'une haie.

Après une dernière crise de déprime et de ras-le-bol, j'ai pris de bonnes résolutions à propos de mon alimentation, de mes règles de vie. J'ai relu mes notes sur la pensée positive et philosophé avec Claire sur les beaux lendemains qui nous attendent.

Aujourd'hui, seul dans mon bureau, je regarde la bagnole en bas, non seulement elle a coûté cher, mais elle ne remplit pas son contrat d'égayer ma vie, de me motiver à être plus heureux, de justifier ma position de patron indépendant qui mérite ce joujou coûteux.

Midi. J'appelle Claire et lui propose d'aller faire le tour du lac pas loin de chez nous. Je suis libéré car au fond de moi j'ai pris une décision…

L'enlaçant tendrement, je lui raconte tout ce que je ressens et, d'une oreille attentive, elle m'écoute comme j'ai toujours eu la chance qu'elle m'écoute.

Non, ce n'est plus possible de continuer ainsi, non, ce n'est plus possible de compenser par de coûteux objets. J'arrête, je vends tout, qu'en penses-tu ?

Elle ne m'a pas jeté dans le lac, elle ne m'a pas dit que j'étais fou, elle a ressenti ma fatigue qui fait écho à la sienne, elle s'est blottie dans mes bras et m'a dit : « Où tu iras j'irai, fais ce qui est bon pour toi, pour nous, pour les enfants. »

Je lui ai proposé une année sabbatique, une année de ressourcement, une année d'aventures avec les enfants, une année de disponibilité.

Première partie...
Le rêve

L'avant

Jour J, moins deux ans.

Pour partir sereinement, pour vivre confortablement une année sabbatique, il faut de l'argent ! Eh oui ! Les sous-sous sont toujours nécessaires en ce bas monde.

D'abord, commencer par le commencement et rembourser nos dettes. La belle bagnole est revendue en deux coups de cuillère à pot, l'appartement en ville et la maison de campagne trouvent acquéreur juste avant la baisse du marché immobilier ! Comme quoi, quand les choses doivent se faire, la vie s'organise pour qu'elles se fassent !

Reste la vente de l'entreprise, le gros morceau.

Faire le grand ménage, comme toutes les décisions, c'est facile, le reste vient après...

Tiens, qu'as-tu fait de ta nouvelle voiture, me demande l'un, et ton nouvel appartement, me demande l'autre. C'est sérieux, vous avez vendu votre maison, me demande un troisième, vous revenez vivre ici, interroge un quatrième.

Deux mois après le tour du lac, nous voici avec toute la petite famille en train d'aménager dans les bureaux de ma société !

Noël 1993 se passera au milieu des télécopieurs et des téléphones. Avec l'exaspération de Claire, qui n'en peut

plus de chercher les culottes des enfants au milieu des dossiers des clients. Avec les peurs d'Amandine, qui ne se remet pas de ne plus avoir sa jolie chambre bien tranquille et les joies de Nico qui apprécie, avec la ville, la liberté de ses déplacements grâce à la proximité du métro. Papa, quant à lui, reçoit ses clients au milieu de tout ce chambardement.

Au printemps 1994, nous déménageons près des bureaux, dans notre petit home du début de notre mariage, qui vient de se libérer. Ouf !

Tout ce chambardement demande une bonne dose d'énergie et il ne faut pas oublier que pendant ce temps, la vie continue au présent et au… futur !

Au présent, il y a le dossier de la vente de l'entreprise, bien sûr, mais il y a surtout un bébé qui s'en vient et, paradoxalement, la maman de Claire qui nous quitte doucement.

La vie nous rappelle son côté magique et tragique à la fois.

Je prends quand même le temps de préparer le futur, l'après qui suivra la vente de l'entreprise.

J'ai des îles plein la tête et je bouquine et visionne tout ce qui se fait au sujet de celles-ci.

Pour l'amateur de voile que je suis, quoi de plus naturel que de rêver de cette approche et quel habitat plus confortable qu'un catamaran ?

Comme par magie la société est vendue quelques mois plus tard !

Pendant

C'est fait, c'est signé... YOUPI ! Vive la fête, vive le champagne !

Non, eh non, contrairement à ce que je pensais je n'ai pas le cœur à la fête et au champagne.

Le temps disponible va naturellement vers mamy, la maman de Claire, que nous accompagnons à tour de rôle vers sa dernière demeure.

Coucou ! Florian naît et me voici papa pour une troisième fois.

J'avais juste oublié les couches et les nuits blanches !

J'avais juste oublié que je voulais tellement de temps pour moi.

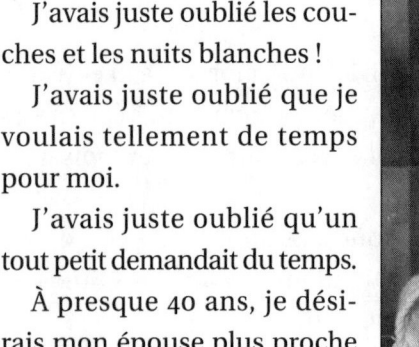

J'avais juste oublié qu'un tout petit demandait du temps.

À presque 40 ans, je désirais mon épouse plus proche de moi. Que sont devenus tous ces bons moments que je projetais avec elle ?

Les longues balades insouciantes à moto, Claire blottie dans mon dos.

Mon cadeau est devant la porte, une BMW 1100, le rêve du motard. Mais comment embarquer la famille dessus ?

Tout est gris, je ne me réjouis de rien et me tracasse pour la moindre peccadille.

Je voudrais tant aimer, rire, et je ne ressens que le vide.

Le temps m'échappe, comme si les événements de la vie voulaient profiter de cette nouvelle disponibilité pour occuper entièrement l'espace.

Je ne suis plus patron, je n'ai plus d'entreprise, cependant les responsabilités sont toujours présentes.

Malgré les conseils de mon avocat, j'ai accepté d'accompagner, pendant un an, le nouveau propriétaire pour lui communiquer mon expérience.

Calvaire ! Mon tempérament extraverti et hyperactif ne convient pas à ce financier. Me voir décrocher plusieurs téléphones en même temps que je vérifie des dossiers lui donne rapidement le tournis.

Au bout de huit jours, il occupe mon bureau et ne me consulte que d'une manière sporadique. Je suis comme un mode d'emploi « sur appel » et ce pour trois cent soixante-cinq jours.

Mes états d'âme ont donc leur raison d'être.

Quoi de plus facile, quand on ne sait pas « être » au présent, que d'imaginer le futur.

Je mets à profit ce temps-là pour préparer l'après !

L'après, pour moi, c'est le bateau. Il est vrai que l'on ne peut se mettre à cinq sur une moto, mais dans un bateau, oui, c'est possible !

Les mois s'écoulent et le nouveau *boss* prend de l'assurance, me laissant du temps disponible.

Nous en profitons pour partir, avec les enfants, vers l'Île de Ré, en France, pour enfin nous reposer et, bien entendu, pour aller voir le bateau qui devrait nous emmener dans les îles ensoleillées au sable chaud.

Un fabricant de catamarans me propose de louer un de ses bateaux. Mais ce qui m'intéresse, c'est de traverser l'océan, de vivre une véritable aventure.

Pas de problème, il doit justement en livrer un de 42 pieds (13 m) dans les Caraïbes et il cherche un co-skippeur.

Électronicien de formation et pratiquant la voile depuis de nombreuses années, je suis l'homme de la situation.

De retour de vacances en Belgique, je reçois un appel du chantier naval, le fabricant m'informe que le bateau de son client sera prêt pour la livraison à l'automne et qu'il m'a inclus dans l'équipage pour le convoyage.

Réunion de famille oblige, nous décidons que je ferai le voyage jusqu'aux Îles de Ténériffe pour ne pas laisser Claire trop longtemps seule avec le bébé et les deux grands.

Toutefois, si tout va bien, nous nous entendons pour que je continue le voyage jusqu'aux Caraïbes, ce qui portera mon absence de quelques semaines à plusieurs mois.

Le bateau

En novembre, le cœur serré, je laisse ma famille derrière moi. Le TGV me transporte vers l'aéroport Charles de Gaulle près de Paris. De là je m'envole vers la Côte d'Azur et les Marines de Cogolin où le chantier Catana m'attend.

Une journée plus tard, je rencontre le responsable du chantier et, après un repas bien arrosé de bon vin français, il m'invite à visiter le super catamaran de treize mètres flambant neuf de son client.

Il me propose de dormir à bord et m'informe que le reste de l'équipage arrivera demain.

Le lendemain matin, de bonne heure, je me réveille, impatient de découvrir les caractéristiques de ce qui sera mon habitat pendant les prochaines semaines.

Vers midi, surprise, ce ne sont pas deux équipiers, mais un équipier et trois équipières qui montent à bord.

Les présentations faites, celui qui semble être le skippeur m'informe qu'il n'y a pas de place pour moi et que d'autre part, il attend encore deux autres personnes. Il me somme de ranger mes affaires et de quitter le bateau.

Pas résolu à me laisser faire, je me rends chez le propriétaire du chantier et lui explique la situation.

Aussi surpris que moi, il me répond qu'il va immédiatement régler cette affaire.

Une heure plus tard, il est de retour et, souriant, il me dit que tout est arrangé et que je peux à nouveau embarquer.

Cependant, il m'informe que je devrai patienter quelques jours car il a viré l'équipage.

Par après, j'apprendrai que le skippeur avait, sans l'autorisation du chef de chantier, décidé d'embarquer sa bande de copains et copines !

Après une semaine, le nouvel équipage arrive. Comme prévu initialement, nous serons trois pour faire la traversée. Complicité et bonne humeur sont au rendez-vous. Nous faisons les provisions nécessaires au voyage puis nous levons l'ancre.

C'est parti ! Le catamaran file à vive allure, toutes voiles déployées, dans le golf de Saint-Tropez que nous quittons

bientôt pour le détroit de Gibraltar et son fameux rocher du même nom. Je suis à la barre et c'est sous « spi » que nous croisons devant Gibraltar. Fabuleux !

Nous nous succédons aux commandes en poussant des cris de Sioux, tellement la vitesse, au « grand largue », est enivrante.

La première nuit à bord est idyllique. Mer calme, bon vent, ciel étoilé. Nous naviguons avec le pilote automatique et nous prenons à tour de rôle notre quart.

Les journées défilent et aux larges des côtes marocaines les conditions atmosphériques changent et la houle grossit.

À cette époque de l'année, la météorologie n'est pas à son meilleur et c'est en fin de compte par fort vent et mer formée que le voyage se poursuit dans l'inconfort et le danger que représentent les mouvements brusques du bateau lors des manœuvres de pont.

Le pire inconfort en navigation, c'est le mal de mer. Une personne sur trois en souffre et celui qui en souffre dans notre équipage, c'est moi !

Je m'allonge dans ma cabine, les hublots sont grands ouverts et j'attends que ce moment pénible disparaisse.

Pendant cette période, mes équipiers poussent la machine à fond et font jouer le bateau à saute-mouton au-dessus des vagues, ne souffrant pas du mal de mer, ils « s'éclatent » pendant qu'en moi-même je les maudis.

Ce qui devait arriver arrive, une méchante vague frappe à tribord et l'eau s'engouffre par les deux hublots que j'ai laissé ouverts.

Me voilà trempé et transi, mes vêtements dégoulinant d'eau salée.

Je choisis de rester dehors ! Arrimé au bateau par mon harnais de sécurité, je deviens barreur à plein temps, seul endroit où, concentré sur l'horizon, je me sens bien mieux.

Mes compagnons sont, par ailleurs, ravis car nous n'avons plus de pilote automatique. En effet, les courroies d'entraînement de la barre se sont brisées les unes après les autres. À leur tour, ils récupèrent sans être affectés par l'état de la mer qui est couverte de « moutons » blancs. Impressionnant !

Après ce coup de vent, le calme revenu, nous dressons un premier bilan de la situation.

Nous n'avons plus de pilote automatique et nous constatons qu'il y a beaucoup d'eau dans les deux compartiments des moteurs.

Le bateau, lourdement chargé de matériel de rechange pour le chantier des Caraïbes, a enfourné par l'arrière et, de ce fait, a embarqué une certaine quantité d'eau.

Nous profitons d'une accalmie pour jeter l'ancre et chercher la raison pour laquelle les fameuses courroies du pilote se sont brisées. C'est essentiel car, sinon, il faudra, jour et nuit, nous relayer à la barre.

C'est en nous baignant dans une mer bleue cristalline que nous constatons qu'un des deux « safrans » n'est plus solidaire de son axe. Comme un catamaran a deux coques, il y a deux « safrans », ou gouvernails si vous préférez, ce qui explique l'usure prématurée des courroies.

Après cette pause, nous levons l'ancre pour aussitôt constater que nous n'avons plus aucun instrument de navigation qui fonctionne, à part la boussole. L'eau salée a corrodé les connexions de l'électronique de bord.

Que faire ? Les regards se tournent vers moi, l'électronicien de service, et c'est comme ça que pendant les deux jours suivants, je croupis à « fond de cale » pour réparer les connexions.

Les instruments fonctionnent à nouveau et c'est par une mer calme et une lune de toute beauté qu'au loin nous devinons les premières lumières des Îles de Ténériffe.

Je sais déjà que je ne continuerai pas le voyage au delà de cette ultime étape avant le grand saut vers les Caraïbes.

C'est drôle la vie, l'on se met de belles images plein la tête et lorsqu'elles deviennent réalité, elles ne correspondent pas toujours à ce que l'on avait imaginé.

Je me suis arrêté aux Îles de Ténériffe et l'équipage a poursuivi sa route sans moi.

Quelques jours plus tard, je m'envole de l'aéroport de Ténériffe, direction Bruxelles. De retour auprès des miens,

je leur annonce que nous ne traverserons pas l'océan. J'avais découvert les risques reliés à ce genre de périple et l'importance d'avoir une équipe aguerrie, ce que Claire et les enfants n'étaient pas.

Dans mon cœur, je suis brisé, la vie est redevenue grise. Je m'étais projeté dans un avenir rempli d'aventures et de bons moments et je me retrouvais dans un présent où je ne voyais rien, ou devrais-je dire, je n'étais plus rien !

La vie continue

Quoi que l'on fasse ou entreprenne, la vie continue.

Mamy, la maman de Claire, nous a quittés. Nous y étions très attachés.

Amandine et Nico perdent une grand-mère qui, pour eux, avait toujours été très disponible et aimante.

Florian se souviendra à peine des quelques moments blotti dans ses bras.

Claire pleure la perte d'une maman, et comment peut-on décrire le départ d'une mère ?

Moi, je garde le souvenir d'une mamy empreinte de gentillesse et d'amour, d'une mamy qui était toujours là pour aimer et écouter.

L'année se termine, les Fêtes sont plus calmes.

Beaucoup d'émotions nous habitent inconsciemment : décès, naissance, déménagements successifs et la vente de l'entreprise nous ont épuisés.

Cependant, un grand tournant de notre vie à tous se prépare...

L'intermède

Une année sabbatique, c'est quoi au juste ? Elle commence quand ?

Bizarre, bizarre, je tape sur mon clavier et je n'ai pas encore vu de sable chaud ni de palmiers à l'horizon.

Claire me propose de traverser l'océan mais d'une autre façon.

Si nous retournions au Canada vers les grands espaces, les parcs nationaux, les baleines, etc.

Il faut savoir que nous avions déjà été au Canada par le passé et que nous en avions gardé un très bon souvenir.

Justement, me dit-elle, finaude, j'ai reçu une brochure d'Immigration Québec et leur représentant donne une conférence... demain ! Ce serait intéressant que tu t'informes, on ne sait jamais pour plus tard.

J'ai oublié de vous dire que j'avais eu un mal fou à remettre ma douce et tendre dans l'avion de retour, lors de notre premier voyage au Québec.

Ce que femme veut, homme peut et me voici à la réunion où l'on nous parle des nombreuses possibilités intéressantes pour immigrer au Québec.

Je ne vous parlerai, chers lecteurs, que de la catégorie « gens d'affaires », car c'est elle qui nous intéresse.

En résumé, si vous avez le minimum financier requis, assorti d'un bon plan d'affaires, vous serez accepté comme « immigrant reçu ». Six mois à un an s'écouleront après l'examen médical et l'analyse approfondie de votre dossier.

Il n'en demeure pas moins que comme le rêve de bateau, une préparation et un essai s'imposent.

Le temps d'annuler un voyage en amoureux au Portugal (erreur, il ne faut JAMAIS annuler les voyages en amoureux) et nous partons deux semaines avec les deux derniers enfants pour le Canada, préparer notre ANNÉE SABBATIQUE.

Mais oui, mes amis, elle s'en vient, comme on dit au Québec.

Nico, école oblige, reste à Bruxelles chez sa grand-mère paternelle.

En avril, nous nous envolons vers Montréal. Au préalable, nous avons déposé notre dossier d'immigration à la représentation québécoise de Bruxelles et passé les examens médicaux avec succès.

Nous avons loué un appartement-hôtel dans le centre-ville et nous passons un très bon séjour à la recherche d'un motorisé (auto-caravane) et l'équipement nécessaire pour vivre une année de randonnée.

D'emblée, nous sommes convaincus que nous avons fait le bon choix : grands espaces par rapport à notre pays, facilités à l'américaine. Tout est disponible tout de suite et tout le temps, la sécurité est partout omniprésente : on n'a pas constamment la peur de se faire agresser. Car il ne faut pas négliger cet aspect majeur quand on emmène sa famille avec soi dans une telle aventure.

Quinze jours plus tard, l'achat d'un motorisé d'occasion et d'une Jeep conclu, nous voici de retour en Belgique. Photos et enthousiasme à l'appui nous faisons rêver notre grand Nicolas qui aura bientôt 13 ans. Avec le recul, je me demande à quel point nous ne l'avons pas inquiété, lui qui avait ses copains à laisser derrière lui.

Jour J moins quelques jours. Nous organisons, pour nos proches et nos amis, une fête avant le grand départ.

La salle du local paroissial est remplie, un diaporama défile montrant les paysages grandioses du merveilleux pays qu'est le Canada.

Tout y est : l'hydravion, les castors et orignaux, les baleines et les Grands Lacs, bref « ma cabane au Canada » telle que tout le monde en rêve.

Donc, c'est bien vrai, les Steinbach s'en vont avec leurs trois enfants et ils ne savent pas encore quand ils rentreront...

La famille, les voisins, nos amis et connaissances n'en reviennent pas.

Je leur explique pourtant qu'il suffit de revendre la belle auto, la belle maison, le tout contre une liberté de quelques mois ou plus.

L'année sabbatique

Enfin, en juin, c'est le jour J.

Oui, oui, j'ai, et nous avons un moral d'enfer.

Je suis plus enthousiaste, car, sans le savoir, je suis redevenu le patron, le responsable : avion, réservation à Montréal, itinéraire à organiser, ordinateur de bord et ordinateur de poche, cellulaire et le nécessaire scolaire pour les enfants pendant une année.

Après des adieux émouvants à l'aéroport de Bruxelles, à travers les hublots de l'avion, nous regardons une dernière fois notre pays.

Arrivés à Montréal, nous réglons les équivalences de permis et d'assurances. Pendant les jours qui suivent nous visitons les grandes surfaces et achetons tous les ustensiles indispensables à notre périple.

Le soir, à la piscine de l'appartement-hôtel, Nico apprend la natation à sa sœur. Dans ce pays des Grands Lacs, il est indispensable de savoir nager !

Après ce temps de préparation, nous nous retrouvons dans le splendide motorisé. Celui-ci a même une douche et une toilette !

Puis, un beau matin, nous nous retrouvons au camping de Laval, ville proche de Montréal, pour étrenner notre nouvelle maison mobile et achever les derniers préparatifs.

Deux semaines se sont écoulées et nous sommes toujours sur place !

Nous avons oublié un élément important, la fatigue !

Au début, nous pensons que notre fatigue est due au fait que bébé ne dort pas la nuit et que tout le monde se réveille, ce qui est vrai.

Mais vrai aussi que depuis deux ans nous avons déménagé plusieurs fois, vendu une entreprise et perdu des êtres chers tout en recevant la vie avec la naissance de Florian.

La situation dans le motorisé est différente de celle de 1993 où Amandine et Nicolas avaient respectivement 10 et

4 ans et où l'espace, bien que restreint, permettait d'être quand même confortables.

Les bains et les attentions à bébé demandent plus d'organisation, d'espace et de tranquillité.

Bref, ma cabane sur la plage au Canada aurait, peut-être, dû être la première option après toutes ces années de vie mouvementée.

Colon irritable, est-ce que vous connaissez ?

Non, ce n'est pas un lac au Canada, c'est Philippe qui veut tout régenter et tout organiser. À force d'automatiser, robotiser, contrôler, je me suis vu décerner le Prix du « colon irritable ». (Le colon irritable est le nom médical de l'inflammation de cette partie du corps qui est très douloureuse et qui peut avoir des incidences sur le dos).

C'est dans cette ambiance de nuit blanche que nous quittons, vers la mi-juillet, notre premier camping. Nous allons nous diriger vers les grands espaces où sont situées de nombreuses pourvoiries dont certaines sont à vendre.

N'oublions pas que nous avons un permis touristique de six mois et que si par chance nous sommes reçus comme immigrants, nous pourrions éventuellement nous installer contre une promesse de monter une petite entreprise.

L'effet positif sur moi, c'est que je suis hyper motivé et à l'affût de ce qui pourrait être une opportunité d'affaires.

L'effet dévastateur, avec le recul, c'est que, sans m'en rendre compte, je suis passé d'une année sabbatique à un plan d'affaires.

Je pense même que l'année sabbatique viendra beaucoup plus tard, mais pour en connaître la raison il vous faudra encore lire quelques pages.

Pour nous donner une idée de l'immensité du territoire canadien nous louons un hydravion.

Nous survolons un immense espace près du Lac Taureau à la limite des réserves indiennes dans les Laurentides. Malgré le bruit assourdissant du moteur du Biver, Florian dort paisiblement dans les bras de sa maman.

Une balade en jeep, rien de tel après la balade aérienne.

À une heure de piste de Saint-Michel-des-Saints, dernier village habité, nous découvrons une pourvoirie. Les lacs sont immenses, le nombre d'hectares incalculable. Ici tout est hors limite par rapport à notre Belgique natale.

C'est tellement beau, c'est tellement grand, c'est tellement loin !

Loin de tout. Pour dix jours, une semaine, quelques mois, mais plus ?

Nos habitudes de citadins ; restos sympas, bons films.

L'école maternelle, primaire et secondaire pour nos enfants.

Bref, nous nous rendons compte que ne devient pas famille des bois qui veut.

D'un commun accord, nous optons pour nous diriger vers le fleuve Saint-Laurent et Québec dont nous gardons de merveilleux souvenirs lors de notre précédent passage.

Tranquillement pas vite, comme on dit ici, nous nous rapprochons. De camping en camping, nous jouissons de la nature, des écureuils le matin, de l'ours l'après-midi, des castors le soir.

À propos de l'ours, il suivait sans se presser notre motorisé sur une portion de piste à l'intérieur d'une des nombreuses réserves fauniques.

Il y a aussi les inévitables motos marines qui amuseront beaucoup les enfants.

Ce ne sera pas le cas de la maman, qui manquera de se noyer quand j'effectuerai un spectaculaire vol plané... sur sa tête ! Heureusement, il ne s'agissait que de mon postérieur.

À propos des campings, il faut savoir qu'au Canada ce mode de vacances est très couru avec une organisation, une propreté et des situations extraordinaires.

Dans la majorité de ceux-ci, vous aurez la possibilité de raccorder votre motorisé aux services d'eau, d'électri-

cité. Même vos toilettes seront raccordées directement à l'égout de votre emplacement.

En août, de derrière les collines au détour d'une route, surgit devant nous Québec contourné par le fleuve Saint-Laurent avec, en toile de fond, l'Île d'Orléans qui, nous ne le savons pas encore, deviendra notre île ou du moins notre endroit de vie.

Vous remarquerez que nos rêves d'îles et de sable fin n'étaient pas tout à fait inexacts. Le moyen d'y arriver est simplement un peu différent.

Nous prenons nos quartiers à environ dix kilomètres de Québec, le temps de faire plusieurs excursions dans cette ville classée par l'Unesco et qui respire la tranquillité et la joie de vivre.

Les enfants sont aux oiseaux, comme disent les Québécois. La ville est entourée d'eau, il y a des marinas et des bateaux pour papa, des parcs aquatiques et une plage de sable fin pour les enfants et, enfin, une chaise longue au soleil pour maman et bébé qui apprécient le bord de l'eau beaucoup plus que le bateau ou le motorisé.

Ben, oui, c'est aussi ça l'année sabbatique, avoir un peu de confort touristique.

De toute façon, Québec est touristique, du Château Frontenac en passant par les Chutes Montmorency, l'Île d'Orléans, et jusqu'au domaine de ski du Mont Sainte-Anne, à trente minutes de Québec, où tout est fait pour y dégoter une activité qui plaira à tous.

Nous n'oublierons pas les nombreux musées, théâtres et salles de spectacles et les nombreux centres commerciaux où nous trouvons les articles internationaux, y

compris les complexes cinématographiques avec leurs salles équipées d'écrans géants.

Bon, d'accord, j'arrête !

Je vous amène avec nous dans l'île qui nous avait déjà fait rêver.

En ce mois d'août, par une température proche de 30 °C nous traversons le pont de l'île située à une quinzaine de minutes de Québec.

Comme nous l'avions fait deux ans plus tôt nous retournons à notre emplacement au bord de l'eau, situé au bout de l'île. En ce lieu, le fleuve s'élargit et les navires transitent pour se diriger vers Montréal ou repartir vers l'Atlantique.

C'est tout simplement magique et l'on se prête à rêver que l'on pourrait rester sur l'île et y vivre.

Ce n'est pas facile pour Nicolas, notre fils de 13 ans.

Au Québec, les grandes vacances se déroulent dans des camps d'été où vont se défouler tous les jeunes de son âge.

En conséquence, il est tout seul.

Jouer à la dînette avec sa sœur ou à la chasse aux gros cailloux au bord du fleuve commence à le lasser et, malgré les activités plus sportives avec papa, le temps lui paraît long.

Il se découvre alors une passion pour la lecture et dévore bouquin après bouquin.

Pendant ce temps, Claire et moi pensons de plus en plus à nous installer au Canada et nous tournicotons autour de l'île à la recherche d'une propriété à vendre où il nous serait possible de réaliser notre activité commerciale.

Mais le mois d'août avance et l'étape suivante prévue est la Gaspésie et nous prenons la décision, un beau matin, de lever le camp.

De nouveau la fatigue se fait ressentir surtout pour Claire qui voudrait demeurer dans un petit nid douillet avec Florian.

Au moment de quitter l'île, Claire voit une magnifique maison de pierre et me demande d'arrêter pour la visiter car devant celle-ci un panneau « À vendre » est affiché.

Non seulement la maison est à vendre mais également les quinze hectares et les cinq mille pommiers qui descendent jusqu'au fleuve.

La vue est imprenable, elle va du Mont Sainte-Anne jusqu'au pont de l'île et, tout au long, face au domaine, s'étend la chaîne des Laurentides avec ses couleurs chatoyantes. Le rêve, quoi.

Un monsieur assis sur sa chaise nous regarde arriver et sans autre préambule nous invite à venir explorer la propriété.

Une heure plus tard, Claire me demande si nous l'achetons.

Phil le citadin et cinq mille pommiers !

Une pomme le matin au petit déjeuner je n'ai rien contre, mais là, c'est toute une compote !

Heureusement, le prix me permet momentanément de tourner la page.

Et c'est une Claire raisonnable et compréhensive qui remonte dans le motorisé. Bien que son dernier regard en arrière ne me dise rien qui vaille, je reprends la route, persuadé qu'elle ne retiendra pas cette douce folie.

Parc Forillon, bonjour ! Gaspésie nous voici, après dix heures de route, arrivés à destination.

Joie, où es-tu ? Enthousiasme, où te caches-tu ?

Nous regardons notre motorisé, il y a de la place, c'est sûr, mais nous sommes tellement fatigués.

Raisonnables, lucides et surtout complices de tous les instants, nous décrétons de nous rendre la vie agréable.

Nous louons un chalet au bord de l'eau où nous vivrons dix jours de rêve.

Les enfants construisent un radeau, papa est enfin l'homme des bois promis. J'ai, en effet, arrêté d'organiser, régenter, comptabiliser et analyser les choses.

Déjà l'automne approche, nous nous en retournons vers Québec via Tadoussac et le majestueux fjord du Saguenay.

Baleines, phoques et bélugas sont au rendez-vous. C'est ici que je comprends le sens réel de l'expression « tomber en amour avec la nature »

Au tournant du chemin

Quatre mois plus tard, nous voici au tournant du chemin.

Plusieurs routes s'offrent à nous. Poursuivre notre périple au chaud, donc aux États-Unis, faire la route des parcs pour revenir l'année suivante par Vancouver et terminer ce long périple au Québec, à la saison des fleurs, ou résider l'hiver à Québec.

C'est la fatigue et le besoin pour Nico de rencontrer des jeunes de son âge qui vont prendre le dessus. D'un commun accord, Claire et moi choisissons de louer une maison sur l'Île d'Orléans et de mettre les deux aînés à l'école.

La vie donne toujours l'heure juste quand on est prêt et nous découvrons une jolie propriété à louer à Saint-François à l'Île d'Orléans. Nous signons un bail pour six mois.

Entre-temps, nous avons été avisés que nous sommes officiellement reçus immigrants et que nos « cartes-soleil »

(passeport pour les soins médicaux) sont à notre disposition.

Nous devons quitter le Canada en tant que touristes pour faire notre entrée officielle comme immigrants et faire estampiller nos papiers d'immigration à la frontière.

Nous nous dirigeons vers le Maine (USA), tout proche, et nous quittons le Québec.

Le poste frontière américain franchi, nous faisons demi-tour pour être accueillis chaleureusement par les gardes-frontières canadiens.

Très émus, nous repartons vers Québec, l'Île d'Orléans et notre maison au toit rouge.

Comme prévu, elle nous attend, équipée et meublée.

Nous achetons les vêtements pour l'hiver et inscrivons les enfants à l'école.

Deux semaines se sont écoulées, l'autobus jaune et noir vient chercher les enfants chaque matin devant notre porte.

Me voilà au repos avec ma petite famille autour de moi et une terre de trois hectares avec une cabane à sucre, de quoi m'occuper.

J'organise toute la maisonnée comme si mon besoin de régenter me permettait de garder le contrôle ou de me donner l'impression d'exister.

Un homme de 40 ans sans travail, sans bateau pour se mesurer à l'océan, sans motorisé pour faire le tour du monde, un homme de 40 ans au foyer !

Une parenthèse québécoise : les Québécoises disent que quand l'homme rentre au foyer avec ses valises, elles font les leurs et le quittent ! C'est une image, bien sûr.

Je remercie mon épouse et mes enfants de ne pas avoir fait leur valise ou de ne pas m'avoir largué sur une barque à voile sur le fleuve.

L'automne a laissé la place à l'hiver et aux premiers flocons de neige.

Je pratique le ski, la motoneige, les promenades en ski de fond sur l'île mais... tout seul.

Claire récupère enfin, mais le ski et les engins à moteur ne sont pas sa tasse de thé.

Mon rêve de voir ma compagne faire la folle avec moi, sur les pentes enneigées, avait de toute façon disparu lorsque, en Suisse, son professeur de ski était venu me voir, désespéré : elle avait skié toute la journée avec les chaussures aux mauvais pieds.

Bien sûr, les week-ends, nous allons tous ensemble au Mont Sainte-Anne, mais en semaine, à part magasiner et partager les tâches ménagères, je ne fais que gérer mon portefeuille et le cours de la Bourse dégringole dangereusement.

À l'époque, lorsque les affaires piétinaient, je mettais les bouchées doubles. Mais avec la Bourse, où nous avions temporairement placé notre argent, je n'avais aucun pouvoir. Même si chaque soir, je mettais le double de bougies devant mon prie-dieu.

« Phil colon irritable » était donc revenu et bien décidé à s'incruster, me donnant des douleurs abdominales permanentes.

Je ne pouvais en quarante ans de vie m'imaginer qu'un jour, je ne serais plus capable de voir les êtres que j'aimais autour de moi, de ne plus me rendre compte de la bonne

fortune que j'avais et, que le matin, je verrais une corde pendre à une poutre.

Pas marrant, hein, l'année sabbatique ? On dirait que cela devient une année merdique pour le petit gars de Bruxelles.

N'allez pas à la dernière page, ne refermez pas le bouquin parce que, non seulement aujourd'hui nous sommes toujours là, mais notre amour est encore plus grand et nos enfants n'ont jamais été si heureux.

Mais si je raconte tout, vous allez arrêter de lire et, le plus beau, je devrais dire le plus noir, est à venir.

Heureusement, Claire est toujours prête à m'écouter et à me soutenir.

Je dois dire que lorsque, je lis sa partie du livre au féminin, je me rends compte à quel point nous pouvons sous-estimer ce que peuvent ressentir nos proches.

C'est drôle, il y a trente ans, j'avais décidé de faire ma vie avec elle, en partie à cause de ces mots qu'elle m'a dit un jour...

Je lui demandais à l'époque ce qu'elle me trouvait, pourquoi elle m'aimait, car moi je ne me voyais rien d'intéressant. Sans doute parce que mes parents absents n'avaient rien vu non plus. Elle me répondit alors cette phrase extraordinaire : « J'aime ce qui est beau en toi. »

Il m'a fallu de nombreuses années et beaucoup de larmes pour non seulement découvrir ce qui est beau en moi mais aussi découvrir ce qui est beau en chacun de nous. J'espère que vous avez votre mouchoir à la main.

Non, mais blague à part, voir une corde chaque matin, ne plus savoir fonctionner ou presque, ne plus avoir envie de vivre, c'est injuste, ne trouvez-vous pas ? De quel droit quand il y a tant de misères en ce bas monde.

Ts, ts, ts, non, non, non, ce n'est pas tout à fait vrai.

Dans ce merveilleux livre qu'est *La cité de la joie*[1] les gens des bidonvilles nous regardent en souriant, avec dignité et, à la fin du bouquin, il n'y a aucune demande de dons. À la fin de celui-ci non plus, ne vous inquiétez pas.

Maudite corde, maudit Jacques Salomé que j'ai rencontré, il y a dix ans, et qui m'avait offert un dessin montrant un enfant seul au milieu d'un champ de fleurs tenant des barreaux devant lui.

Maudit soit Jacques de m'avoir expliqué que j'ai oublié de pleurer sur le père qui m'a abandonné et la mère trop jeune qui n'a pas eu de temps à me consacrer. Maudit soit-il de ne pas m'avoir suffisamment botté le derrière pour que je pleure toutes les larmes de mon corps et que j'exprime de toutes mes forces la colère enfouie au plus profond de moi.

Merci, Jacques, de m'avoir montré le chemin, même si j'allais mettre vingt ans à le découvrir. Merci, Jacques, de m'avoir aussi montré l'impossibilité de garder caché tout au fond de moi la multitude d'enfants blessés qui, un jour

1. LAPIERRE, Dominique, *La cité de la joie*, Éditions Robert Laffont, 1992.

ou l'autre, crieraient à l'injustice pour ne pas avoir pu être aimés et reconnus par l'adulte que je suis devenu.

Par conséquent, les amis, de vendeur émérite en dirigeant autoritaire puis d'hyper organisateur en grand entrepreneur, j'ai inconsciemment cherché à nourrir mon vide intérieur.

Claire avait raison, c'est beau ce qui est en moi, mais on ne me l'avait jamais dit, on ne me l'avait jamais montré.

Jacques Salomé avait raison, je m'interdisais d'être.

Mes parents avaient raison, car trop jeunes et blessés eux-mêmes comme nous le sommes tous d'ailleurs, ils ne pouvaient rien donner.

Phil colon irritable ou l'homme à la corde, si vous préférez, continuait cependant à sévir.

Petit roitelet irascible de mon insatisfaisant château, je dépérissais à vue d'œil et, comme le colon irritable a la délicatesse de se déployer en sévère mal de dos, me voici comme le bossu de Notre-Dame en train de marcher à quatre pattes et avec une canne par-dessus le marché.

Je vais passer Noël de cette année-là sous deux mètres de neige et dans une stabilité bien précaire, entouré des miens, de la beauté des lieux et de deux bons gros chiens.

Bonne année

Les nuages noirs s'éloignent doucement. Cependant, mon attention reste accaparée par le cafard inexplicable toujours présent. Le déséquilibre psychique entraîne fidèlement un mal de dos persistant.

Il y a dix ans, je rencontrais Jacques Salomé et maintenant voilà que je rencontre près de chez moi l'ami Réal, ancien chiropraticien, qui estime que pour soigner le corps il faut en premier lieu s'occuper de l'esprit.

Je tiens d'abord à vous dire que je n'aurais pas vraisemblablement utilisé cette fameuse corde. D'une part, je ne suis pas sûr que j'en aurais eu le courage et, d'autre part, je crois en ce petit talent, petite âme qui m'a été donnée et que je n'ai qu'une vie pour le faire fructifier.

Vous connaissez tous cette parabole : « À celui qui a, il sera donné, et, à celui qui n'a pas, il sera retiré le peu qu'il a » (lu dans la Bible).

Ainsi, me revoilà quelques années après ma rencontre avec le bon Jacques en train de chialer à nouveau avec papa Réal. Quand cela va-t-il finir ?

Papa Réal, tonton Réal, nous pouvons tous en dire autant avec papa prof, papa mari, maman épouse ou tonton *boss* ou n'importe quoi d'autre qui nous rap-

pelle ce que l'on n'a pas eu ou ce qui nous empêche d'être.

Avec Réal et ses stages de ressourcement, j'apprends à accepter et reconnaître ce que je n'ai pas reçu et à rechercher à l'intérieur et non à l'extérieur. Je ne vais plus transformer, pour être heureux, ce qui est autour de moi, je vais apprendre à me transformer, moi.

Nous sommes à la fin de mars et je me promène de nouveau bras dessus bras dessous avec Nico. Je fais papa gros dos à bébé Flo et je joue avec Amandine au chien de traîneau.

Grâce à mes changements d'attitude, le dos et le ventre vont bien.

Le printemps montre ses premières couleurs, et autour de nous, le paysage a troqué son manteau gris pour le vert.

Je vais de mieux en mieux. Je rêve à la reprise de l'année sabbatique et j'envisage sérieusement l'achat d'un voilier.

La marina de Québec est à vingt minutes de chez nous. Claire est tellement contente de voir que je m'occupe qu'elle abonde dans mon sens.

Au mois de juin, je prends livraison d'un magnifique trente-six pieds d'occasion.

De maître de maison hyperactif, je deviens capitaine de vaisseau et Dieu seul sait combien on peut s'activer sur un bateau ; c'est ce que je vais faire une bonne partie de mon temps.

Nous savons aussi que nous ne repartirons pas.

J'avais caressé l'espoir de poursuivre l'année sabbatique avec le bateau, mais les bouleversements continuels des trois dernières années ont épuisé les réserves de forces de ma famille qui a besoin d'un chez soi et d'un minimum de stabilité.

Stabilité qui semble se pointer à la maison puisque nous venons de découvrir une ancienne auberge de jeunesse à vendre avec un terrain de trente hectares et des dépendances.

Nous faisons une offre conditionnelle à certains permis dont nous aurions besoin pour faire un centre de conférences et de ressourcement avec des activités qui pourraient s'étendre à la thalassothérapie.

Les meubles, vêtements et jouets des enfants étant toujours en Belgique, nous envisageons plus que jamais de rester sur notre île. Nous commandons le déménagement qui nous parviendra par conteneur.

Comme dit précédemment, nous ne repartons pas. Zut, alors ! Moi qui ai de nouveau envie de bouger !

Je vais bien, que diable ! Je suis à nouveau en pleine forme.

Hissons les voiles, au moins pour deux mois, demandai-je à mes mousses.

Dur, dur, mais, oui, ils sont d'accord, nous partirons après l'école et nous irons jusqu'à Tadoussac observer les baleines. Ensuite, nous remonterons le fjord du Saguenay jusqu'à Chicoutimi.

Super ! J'ai acheté toutes les cartes maritimes, placé un nouveau radar dans la cabine et ressorti ma rutilante *Breitling*, chronographe automatique idéal pour le grand

aventurier que j'espérais un jour devenir. Cadeau que je me suis fait lors de la vente de l'entreprise de téléphonie.

En réalité, je ne l'ai jamais beaucoup utilisé, le joujou passant sa vie à tomber en panne.

À propos de joujoux, une liste à la fin du livre est disponible, ils garantissent un caprice légitime mais aucune garantie de bonheur.

Jour J, *yes* ! (j'ai appris l'anglais)

Les essais du voilier sont terminés. Les papiers, permis de navigation et assurances, sont en règle. La navigation sur le Saint-Laurent n'est pas à prendre à la légère car elle est une des plus difficiles au monde (sans blague) tellement les courants sont forts et le trafic intense.

Mais quand on a « fait » la mer du Nord, on sait tout faire, n'est-il pas vrai ? Beau temps, grand beau, comme disent les Français, nous voici tous à bord. Nico, quant à lui, a décidé de faire un stage d'anglais chez des amis à Norfolk (Angleterre).

Le bateau zodiac gonflable bien arrimé, Flo repose dans la grande chambre arrière. Claire et Amandine font les manœuvres d'appareillage et détachent du ponton *La Galante*, c'est le nom du bateau.

Après plusieurs jours, je me sens parfaitement dans mon élément. Un bateau, ça bouge tout le temps et il y a toujours quelque chose à faire à bord.

Le voyage se poursuit sans anicroche et nous assistons à l'impressionnant départ de la transat Québec/Saint-Malo. Nous continuons ensuite notre périple à travers les îles de Montmagny, réputées pour leurs hauts fonds.

MYDAI, MYDAI, MYDAI…, connaissez-vous ?

Non, ce n'est pas le nom d'une jolie Tahïtienne, non, monsieur, ce n'est pas la bataille de Midway, c'est le signal international de détresse et le bateau en détresse, c'est le nôtre.

Je viens de heurter un rocher en me faufilant à travers les îles.

Le bateau accuse directement une gîte de trente degrés et la cale se remplit d'eau, me laissant craindre une brèche importante.

Claire se précipite dans la cabine arrière récupérer Florian qui dort à poings fermés pendant que j'embarque Amandine dans le zodiac et que je fais démarrer le moteur.

Dix minutes après nous nous éloignons de l'épave qui ne semble pas vouloir couler.

À l'abri sur une île voisine, nous observons un hélicoptère de la Garde côtière canadienne qui se rapproche.

J'attire son attention avec une fusée de détresse et il se pose à nos côtés.

Tandis que Claire et les enfants montent dans l'hélicoptère, je retourne vers le bateau pour essayer de sauver ce qui peut l'être. À mon grand étonnement, il n'a toujours pas bougé et deux heures plus tard il est hors de l'eau. La marée est à son niveau le plus bas et le bateau repose couché sur un gros rocher, il paraît en bon état et n'a aucune brèche apparente.

Deux gros zodiac apparaissent. Ce sont les Lachance (c'est le cas de le dire) de Montmagny, marins de père en fils et propriétaires des bateaux de croisière reliant la terre aux îles.

On va vous sortir de là, me disent-ils, dans une heure, la marée remonte et dans quatre heures, elle sera haute.

Aussitôt dit aussitôt fait, ils installent des aussières à différents endroits du bateau et au fur et à mesure que la marée monte, ils l'équilibrent avec les deux zodiac pour éviter qu'il heurte les rochers.

Pendant ce temps, je recherche la brèche à l'intérieur pour constater que je n'avais pas fermé les passe-coques (trous dans la coque pour l'évacuation des eaux usées qui doivent toujours être fermés en cours de navigation).

Le beau temps, sans un frémissement de vent, m'avait fait négliger cette règle importante et comme nous naviguions au moteur, il n'y avait pas de gîte.

Ces informations techniques terminées, je poursuis ma petite histoire, vous me suivez ?

La nuit est venue et je suis au port sur le bateau, je téléphone à Claire et la rassure. Après la visite de l'expert en assurances, je suis prêt à poursuivre notre voyage pour ne pas rester sur un mauvais souvenir.

Le bateau est quand même sorti de l'eau pour une inspection minutieuse. Il y aura des réparations mineures, mais elles pourront attendre jusqu'à l'hiver.

Deux jours d'hôtel, le temps de tout vérifier et de faire revenir Claire avec les enfants.

Le bateau remis à l'eau, nous levons à nouveau l'ancre vers de bons moments. Mais les bons moments sont-ils réellement devant nous ?

Non, il n'y aura plus de bons moments sur mon beau bateau, non, je ne serai plus capable de m'affairer. La vie vient de m'arrêter dans ma quête de recherche et de sensations extérieures, dans ma quête de bonheur à travers une activité constante et débordante.

Je n'ai qu'une envie, c'est de rentrer à Québec. D'ailleurs, je n'ai plus confiance en moi et je ne suis plus sûr de pouvoir bien manœuvrer.

L'arrivée au port est laborieuse, le vent est violent, il me faut l'aide de plusieurs personnes pour amarrer le bateau au quai.

C'est le soir, les sacs sont bouclés. Les voiles ont même été enlevées. Claire et les enfants se dirigent vers la marina.

Je regarde le bateau et me demande si j'y remonterai la saison prochaine, rien n'est moins sûr.

Merde, pardon, zut, le chariot avec les voiles a disparu, seraient-ce les dieux qui me l'auraient enlevé ?

Eh non, le vent est tellement violent qu'il s'est acharné sur mon chariot et celui-ci a mis les voiles ...au fond de l'eau !

J'avertis la capitainerie qui, super sympa, appelle le plongeur de service. Une heure plus tard, il ressortira le chariot délinquant avec les voiles.

Durant ce temps, ma petite famille se goinfre de hamburgers.

C'est pour cela qu'ils n'ont que de bons souvenirs. Moi, de mon côté, je commençais à trouver la vie dure.

Nous sommes de retour dans notre maison dont nous avons prolongé la location.

Le bateau est finalement mis en vente.

Après une analyse poussée, nous concluons que la propriété dont nous voulions nous porter acquéreurs ne convient pas.

Nous sommes en terre agricole et il faut tenir compte de la vocation du milieu surtout si des fermes sont situées à proximité.

Le puits se trouvant sur la propriété ne serait pas suffisant pour la demande en eau qui, de plus, devrait passer par un système d'épuration pour être sûr qu'elle soit potable.

L'après

Il y a déjà plus de deux ans que nous avons vendu l'entreprise de téléphonie à Bruxelles et trois ans depuis que nous avons fait notre promenade autour du lac en rêvant aux beaux lendemains qui nous attendaient.

Nous emportons avec nous ce que l'on est avec nos « plus » et nos « à améliorer ». En chemin, nous trouvons des outils, des circonstances qui, si nous les observons, nous permettront de grandir.

C'est ainsi que Claire va voir son rêve se réaliser, nous sommes en octobre et les enfants ont déjà repris le chemin de l'école.

L'agent immobilier, qui nous cherche une propriété, nous avertit que la fameuse maison de pierre au cinq mille pommiers a été saisie par les banques. Claire ne se sent plus de joie et me harcèle. Personnellement, je suis à nouveau rentré dans une période morose et après m'être « éclaté », c'est le cas de le dire, en bateau, je n'ai plus de projets pour l'avenir immédiat.

Je ne suis plus sûr de moi, plus sûr de rien.

Je n'ai plus de repères et je ne sors pas de la routine familiale habituelle qui me rappelle nos débuts sur l'île.

Claire me ménage beaucoup d'écoute et Flo va à la garderie chez des connaissances.

J'ai ma petite femme pour moi tout seul et, à mon tour, j'écoute attentivement son idée « pommes ».

Mais il n'y a pas que le verger qui lui tient à cœur, il y a aussi son besoin d'avoir enfin un nid à soi. De plus, nos affaires de Belgique sont toujours en transit et devraient arriver au Canada au début de l'année prochaine.

Contrairement à tous mes autres projets, sur celui-ci je n'échafaude aucun plan d'affaires, je ne suis pas intéressé par les pommes. Ma spécialité, c'est l'électronique, plus particulièrement la téléphonie.

Cependant, l'expérience de la Bourse a provoqué chez moi un stress quasi permanent et je me dis qu'il serait bon, petit à petit, de retirer nos billes gagnantes et de les investir dans des projets où nous pourrons utiliser notre huile de bras.

Par ailleurs, il nous faut une maison et c'est celle-là dont rêvent Claire et les enfants. Alors, en ce début de novembre, j'appelle l'agent immobilier pour lui faire une offre. Le prix représente le tiers de la valeur qui était affichée au temps de la vente par le propriétaire, mais la maison ancestrale est équipée seulement de trois chambres et n'a pas de sous-sol.

Connaissant les montants à investir pour la transformer, j'ai bâti un budget que je ne veux en aucun cas dépasser.

Pour votre curiosité et compréhension, après la vente de tous nos biens, nous pouvions vivre environ sept ans de nos propres moyens mais en faisant attention. D'autre part, si nous avions attendu septembre 2001, nous aurions perdu plus de 50 % de nos avoirs.

En décembre, nous achetons officiellement le domaine de quinze hectares avec sa maison ancestrale ; la grange et le matériel agricole sont inclus dans le prix dont un tracteur.

Le fameux tracteur 4x4 et sa benne.

Je l'avais repéré celui-là, magnifique joujou pour un futur apprenti fermier hyperactif !

Il est midi ce samedi-là, et nous attendons notre visiteur dans notre maison meublée à Saint-François, où nous résidons depuis dix-huit mois.

La sonnette retentit, le grand moment approche, le fringant agent immobilier nous salue et nous montre l'entente convenue.

Horreur, le monstre à quatre pattes ne figure plus sur la liste.

Je rudoie mon interlocuteur qui, c'est sûr, essaie de m'avoir.

Claire est devenue très pâle, car elle sait quand je ne rigole pas.

Enfin, chéri, me dit-elle, il ne s'agit que d'un tracteur, s'il te plait laisse tomber, on s'en fout !

Non, on ne s'en fout pas, la bête vaut au moins 15 000 $. Soit on le déduit, soit on arrête tout.

Visiblement ennuyé le pauvre homme me signale que le propriétaire aurait réussi à sauver le tracteur de la saisie.

Dans tous les cas, il ne peut rien faire sans l'accord des banques et me promet de me contacter.

Oui, oui, je sais. Vous allez penser que Claire est vraiment courageuse de vivre avec un bonhomme pareil.

Cependant, je vous dirai que malgré nos aventures et mésaventures, le tour d'hélicoptère était gratuit et le bateau ainsi que le motorisé, ont été revendus avec un léger bénéfice.

Enfin, pour vous rassurer, dés la semaine suivante j'avais rendez-vous avec le courtier immobilier sur notre future propriété et le cheval de fer était bien là en métal et en roues y compris dans le contrat !

À Noël, nous retournons en Belgique pour un ultime au revoir et, sans doute, un adieu à Mike, ma jeune grand-mère de 96 ans qui m'a élevé et qui m'est très attaché.

Les enfants pourront la revoir probablement une dernière fois. Ils passeront aussi un moment avec leur manou, ma mère qui vit temporairement dans notre appartement.

Du côté de Claire, il y aura les fameuses tantines, femmes aimantes et souriantes, qui n'ont d'autre but dans la vie que la joie de vivre, et ce, dans la plus grande simplicité.

Je ne peux m'empêcher de vous raconter une anecdote belge.

Figurez-vous que la première fois que Claire m'a parlé de ses tantines très *britishs*, c'était il y a trente ans. J'imaginais des vieilles dames en collerettes m'attendant en haut d'un escalier recouvert de moquette dans une maison cossue de l'avenue Defré, à Uccle. Quelle n'a pas été ma surprise de les voir assises, en tablier de cuisine, devant un vieux poêle dégageant une douce chaleur. La cafetière, dont il était particulièrement agréable de sentir la bonne odeur de café, trônait en son milieu.

Sympathiques et authentiques, elles étaient un régal de gentillesse et de disponibilité.

Photos en poche, nous sommes de retour à l'aéroport de Zaventem, et, de là, direction vers Auderghem où nous attendent les souvenirs mais, aussi, l'inévitable barrage de questions. Dans la vie, on ne retient que les bons moments. Les mauvais se transforment en anecdotes. On ne prend jamais de photos quand on pleure, l'aventure est donc souvent présentée sous son plus beau jour.

La belle maison fait rêver et les quinze hectares de terrain représentent un rêve impossible en Belgique.

Ces deux semaines passeront très vite et, curieusement, c'est au retour, en survolant le Saint-Laurent, que nous aurons une larme à l'œil.

Étrange, vraiment, nous avons l'impression de rentrer chez nous. Lentement, l'avion amorce sa descente vers l'aéroport de Mirabel, à Montréal, et nous dépose sur notre terre d'adoption.

Deuxième partie...

Les années de brouillard

Le domaine

En janvier, une montagne de gravats s'amoncelle à l'arrière de la maison.

André, l'homme qui en vaut trois, a pris en main les rénovations de la propriété.

Phase une, la plus urgente et la plus coûteuse, transformer la maison en version cinq chambres, plus un sous-sol. Salle de jeu, atelier, pièce de relaxation et petit sauna en cèdre rouge du Canada y prendront place.

Phase deux, le remplacement de tous les châssis et des portes extérieures.

Phase trois prévue pour l'été, sauver le verger à l'abandon depuis plusieurs années.

Phase quatre, le développement de l'activité touristique et l'intégration d'un gîte du passant.

Le tout pour la récolte en septembre, afin de percevoir nos premiers revenus depuis la vente de l'entreprise.

Sans le savoir à l'époque, les délais allaient être largement dépassés.

Le conteneur avec tous nos effets personnels est enfin arrivé. La maison étant un véritable chantier, nous stockons temporairement meubles et bagages dans la grange.

L'hiver se termine et nous préparons notre dernier voyage. Nous ne le savons pas encore mais ce seront aussi les dernières vacances pendant quelques années.

Nous avions prévu de rejoindre les Îles de la Madeleine situées en bordure de l'océan Atlantique, en bateau.

Mais avec les différents événements relatés précédemment, ce projet ne s'est pas réalisé. Qu'à cela ne tienne, en cette belle journée de juin et après vingt-quatre heures de voiture et de ferry, nous voilà dans cet archipel représenté par plusieurs petites îles.

C'est ici que résident de courageux pêcheurs, dont certains sont millionnaires. Ceux-ci vivent de la pêche aux homards et aux crabes des neiges.

Planche à voile, pédalo, plages de sable fin à perte de vue. Un véritable petit paradis où il ne fait cependant chaud que six semaines par année.

Nous allons rester trois semaines au club de vacances, seul endroit touristique possible pour les familles.

En juillet, nous sommes de retour sur notre île après

un voyage fatigant, nos chers enfants ayant décidé de jouer à chien et chat.

Notre solide demeure, avec ses murs de près de 90 cm d'épaisseur, nous attend. Tous ensemble, un peu émus, nous la découvrons sous son nouvel aspect. C'est génial, nous y sommes arrivés, nous sommes chez nous. Les enfants ont déjà choisi leur chambre.

Mais non, ce n'est pas fini ! Cela ne fait d'ailleurs que commencer ou plutôt, devrais-je dire, recommencer ? Car la vie est un éternel recommencement, n'est-ce pas ?

Il est temps maintenant de penser au verger réparti sur cinq hectares. Des mauvaises herbes grimpent jusqu'au-dessus de certains arbres (les pommiers sont des semi-nains). Tout l'été, nous allons le nettoyer.

Comme nous voulons le rendre tout à fait biologique, nous nous rendons compte de notre manque de connaissances.

Le verger a surtout été racheté pour Claire et c'est sur ses recommandations que j'entreprends les démarches nécessaires à la sauvegarde des arbres.

Très vite, je vais être partie prenante dans tous les travaux. Il y a tellement à faire et à apprendre qu'il est exclu que je cherche une autre activité plus proche de mes intérêts.

Je me rends compte que l'argent s'en va de plus en plus rapidement en investissements en tous genres ; pressoir pour le jus de pomme, citernes, 4x4 pour circuler, etc.

André et Claire ont une idée pour rentabiliser la pomme.

Le vinaigre de cidre est en demande actuellement, pourquoi ne pas en fabriquer ?

Du vinaigre, je n'en reviens pas, vendre du vinaigre !

Fais ce que tu veux, lui dis-je, mais ne compte pas sur moi pour m'en occuper. Je cherche quand même un éventuel grossiste.

À partir de là la calculette cérébrale n'arrêtera plus de travailler pour finalement réaliser que la vente au prix de gros ne rapportera jamais suffisamment pour vivre.

Piégé, je me sens piégé, piégé par moi-même.

J'ai foncé, sans prendre la peine de monter un plan d'affaires incluant un plan marketing dûment validé.

Je n'ai pas été prudent car, à l'époque, je n'avais plus envie de rien.

J'ai accepté d'investir à tout va sans une certitude de rentabilité.

Claire n'aime pas faire les comptes, moi j'en fais trop. Nous sommes en septembre et rien n'est prêt pour la commercialisation.

Cependant, grâce à notre ami André et Jorj, un œnologue rencontré lors d'une dégustation, Claire vient de transformer notre première récolte en dix mille litres de jus onctueux. Un nectar !

Si, si je vous assure, demandez autour de vous.

Le jus entreposé soigneusement dans des barils pour la fermentation alcoolique, il faudra patienter jusqu'en mars de l'année suivante pour espérer obtenir notre premier vinaigre et voir tout l'alcool transformé en acide acétique.

Fin décembre, premier Noël dans notre chez nous et un repos bien mérité après ces premiers six mois de travail ininterrompu.

Au cours de ceux-ci, nous avons vécu un déménagement, des rénovations et transformations de la maison ancestrale.

Le verger, les chemins et le boisé ont ressuscité.

L'entreprise en développement

Les enfants sont enchantés, Nico a décidé de faire ski étude. Ses professeurs le recommandent chaleureusement à l'école du Mont Sainte-Anne où il est accepté. Là-bas, il va forger son caractère et s'épanouir tout à la fois.

Amandine considère l'école comme accessoire et Claire lui consacre plusieurs heures par semaine, en plus du travail au domaine, pour l'aider dans ses devoirs.

J'essaie bien de participer, mais nos caractères semblables nous conduisent, ma fille et moi, à des confrontations épiques !

Je mets à profit les mois d'hiver pour évaluer notre situation financière et échafauder une ébauche de plan d'affaires.

Je juge que la distribution de nos produits tout azimut serait le moins rentable.

Par contre, la situation géographique du site le prédisposerait à une vocation agrotouristique idéale.

Je réunis Claire et André et nous en venons à la conclusion que, pour respecter la législation sur la protection du territoire agricole, l'idéal serait de transformer notre grange en centre d'interprétation intégré aux installations. Dans un même bâtiment, on retrouverait le pressoir, la cidrerie, le magasin. De grandes baies vitrées permettraient aux visiteurs d'observer les différentes opérations.

Tout cela, c'est très beau mais très coûteux. Souvent, je me réveille la nuit et me demande comment nous allons nous en sortir.

J'échafaude des plans d'urgence, dont la revente de la propriété au cas où.

Ma peur de manquer, vestige de mon enfance, ressurgit au galop.

Ce n'est pas tout, il faut savoir quoi vendre. Dix mille litres de jus représentent quarante mille petites bouteilles de vinaigre de deux cent cinquante millilitres.

Je réalise une étude de commercialisation et m'aperçois qu'il y a déjà beaucoup de ces bouteilles sur le marché.

En faisant des projections pour la première année, je constate que l'on pourrait peut-être en vendre sept mille au domaine mais pas davantage.

Claire a alors une idée géniale. Elle adore la moutarde et le vinaigre de cidre pourrait devenir le conservateur idéal pour celle-ci. D'une saveur incomparable, par rapport au vinaigre blanc utilisé dans 99 % des cas, il serait utilisé dans la majorité de nos produits transformés.

Revigoré par cette bonne nouvelle, je me réjouis d'avance de notre première saison touristique au mois de mai.

Impossible, la grange ne sera jamais prête. Nous n'avons pas de cuisine et surtout pas de vinaigre.

Catastrophe pour mon colon irritable !

Claire, toujours positive, est certaine que tout finira par s'arranger.

Notre œnologue nous explique qu'il y a eu un arrêt de fermentation et que notre vinaigre est encore en partie de l'alcool. Il faut relancer le processus afin que la bactérie acétique reprenne son travail qui pourrait demander plusieurs mois.

L'hiver se termine doucement et une anxiété persistante m'étreint.

La motoneige me fait oublier, pour quelques moments, le stress de l'entreprise. Sport extrême pour moi, car n'étant pas encore très habitué au maniement de cet engin, je passe plus de temps à pelleter pour me désembourber, que me promener dans les boisés.

Je réussis même à transformer l'engin en moto marine, en restant prisonnier dans les glaces près du fleuve.

Comme un vieux fou, je mettrai d'ailleurs plusieurs heures à remonter vers la maison... à pied !

De plus je risquerai l'hypothermie, car les pieds mouillés par moins 20 °C, ce n'est pas idéal.

Honteux et confus, je subirai l'engueulade bien méritée pour toute l'inquiétude que j'aurai donnée à Claire.

Je recommencerai dès le lendemain, mais que cette confidence reste entre nous.

En cette première journée de mai, je me lève avec un mal de dos qui m'oblige à rester couché. Mon moral n'est pas bon du tout. Les finances n'arrêtent pas de dégringoler.

La situation financière me rappelle mes comptes clients en souffrance de mon entreprise de téléphonie ainsi que les crédits de caisse, avec la différence qu'ici il n'y a pas encore de clients.

En plus, les nouveaux châssis des fenêtres ont été mal montés et je viens de me rendre compte, en ouvrant les dernières caisses du déménagement, qu'on nous a volé des bagages.

En effet, pendant notre absence dans les îles l'année passée, les bagages qui ne nous étaient pas utiles immédiatement avaient été entreposés provisoirement dans une des remises du domaine.

Des meubles s'y trouvaient également et eux aussi ont disparu. Au secours !

Je relis le bouquin de mon ami Réal : *Les émotions et le corps*. Tu parles d'émotions, j'en ai un sacré paquet.

Ce matin, Réal me regarde avec un sourire et me dit d'une voix paternelle : « Chiale un bon coup, cela fait du bien » Bon enfant, j'obtempère sur-le-champ.

Je m'étais tellement juré de ne plus diriger, de ne plus avoir de personnel, de limiter mes responsabilités, de garder des réserves financières et, là, c'est tout le contraire qui se déroulait.

Cette situation avait l'air d'un goût de déjà vu, j'avais l'impression de reproduire exactement le même type d'attitudes que par le passé.

Que faire ?

Claire est tellement épanouie et moi je suis tellement abattu.

Dehors dans le domaine, c'est la valse des quatre roues et les enfants adorent se promener avec ces véhicules tout terrain miniatures. La piscine ne dérougit pas de leur présence. Ils sont heureux, c'est le principal !

Heureusement, j'ai aussi des idées positives en masse, je suis parfaitement capable de mettre les bouchées doubles et de m'enthousiasmer.

Feuille, crayon, papier et banquier au téléphone.

Conclusion : il faut absolument avoir des revenus cette année sinon, nous serons à sec l'année prochaine.

Bonnes nouvelles, nous avons enfin du vinaigre.

S'engage alors une course contre la montre pour sauver la saison touristique. Très vite, avec la transformation du vinaigre et le centre d'interprétation loin d'être terminé, nous devons nous rendre à l'évidence, nous n'y arriverons pas. De plus, nous suivons des cours d'agri-

culture biologique et ceux-ci se donnent à l'Institut de la Pocatière, presque à deux heures de route de chez nous.

Un goût de déjà vu

Nous n'avons pas assez de nos journées pour tout faire et il faut suivre les enfants ainsi que trouver le temps de préparer les repas.

La récolte de l'automne est déjà là et nous ne sommes pas encore prêts pour accueillir le jus nouveau. Il faut faire vite et André, notre complice du début, monte une équipe de secours qui va gérer l'ensemble.

Tu vois, tout finit toujours par s'arranger, me dit Claire. Je ne vois pas cette conjoncture de la même façon.

Responsable, voilà ce que je me plais à dire, tu ne te rends pas compte, ma chérie, mais je suis responsable.

Je crois que j'ai en partie raison, mais faut-il que j'en devienne malade à chaque fois ?

Serais-je incapable d'être heureux et de vivre au présent ?

Notre deuxième récolte est excellente.

Mais que faire de celle-ci quand on a déjà dix mille litres de vinaigre en stock !

Claire m'annonce une « bonne nouvelle ». Jorj nous recommande de faire du cidre et il faudra, pour réaliser ce projet, déplacer les fameux dix mille litres de vinaigre en devenir et restructurer le bâtiment pour en faire une cidrerie !

Il va de soi qu'il y a une longue liste qui accompagne cette « bonne nouvelle », dont des instruments de labo-

ratoires et de nouvelles citernes. Où trouver l'argent, où trouver le temps ?

À ce stade, ma crise de dos devient permanente car j'en ai ras-le-bol de ces nouveaux événements.

Mon comptable se marre et me dit que je ne suis pas très réaliste. Il m'explique que, sur papier, j'ai de très belles pertes dues aux investissements et amortissements qui en découlent. Mais que les banques seront ravies de me prêter de l'argent compte tenu de la valeur considérable que représente la propriété.

Non, je ne vais pas vous faire un cours sur le développement d'une entreprise. Cependant, il est important que vous compreniez que je ne veux plus m'endetter. Je ne veux plus rien avoir à faire avec les banques.

Ah ! Ces blessures de l'enfance toujours présentes. Vous pouvez me croire ; toujours la peur de manquer, la peur de perdre, de me sentir seul, même si tout est là autour de moi pour me prouver le contraire.

J'arrive à la conclusion que je ne peux tout faire par moi-même. L'ego finit par rendre aveugle et sourd. J'accepte de financer une partie des investissements et, comme on dit dans le jargon des affaires, de reconstituer le fonds de roulement. Nous recevons même une aide financière minime pour notre centre d'interprétation.

Pas mal, hein ?

La fin de l'année arrive et je suis à la recherche d'idées pour présenter les produits d'une façon originale.

Euréka, j'ai trouvé mon fil rouge ! Le commercial en moi vient de se réveiller. Non, vendre du vinaigre n'est pas important, oui, le cidre, fait comme du bon vin, peut

être excellent, oui, des bouteilles, bien présentées, peuvent être belles à regarder et donner l'envie d'acheter.

Par hasard, hasard avez-vous dit ? Par hasard, j'insiste, je découvre la sérigraphie et, bien que le procédé soit très coûteux pour de petites quantités, je ne jure plus que par ce système d'étiquetage.

L'enthousiasme revenu, me voici à la recherche de contenants, de présentoirs ainsi que de l'attirail nécessaire pour monter le magasin.

Les premiers échantillons arrivent une semaine avant Noël. Nous avons juste le temps de déposer quelques réalisations de Claire dans les boutiques de produits de fine cuisine de Québec.

C'est ainsi que nos vinaigres aromatisés et nos moutardes accréditées par quelques chefs reconnus dans la région, vont faire leur première apparition.

En décembre, le domaine n'est toujours pas ouvert et nous n'avons pas assez de stock pour faire une petite « boutique » de Noël.

Des amis de Bruxelles viennent nous visiter avec leurs enfants et, pour notre plus grande joie, nous fêtons dignement notre deuxième année à l'Île d'Orléans.

Deux ans et demi se sont écoulés depuis le début de notre année sabbatique.

Première saison touristique

Janvier est le mois de repos complet, exceptés les bilans qui n'alignent que des pertes d'exploitation.

Dans cette entreprise, j'ai fait tout à l'envers et c'est courageusement que je vais occuper mon temps à bâtir un plan marketing intégré au plan d'affaires.

Celui-ci deviendra l'outil incontournable et sécuritaire (adieu mes frousses bleues) des prochaines années.

Février arrive avec la taille des pommiers et elle est considérable.

J'en profite pour tourner un premier film sur le domaine en hiver.

Le soleil scintille de mille feux, deux mètres de neige, d'une blancheur immaculée, entourent notre nid.

Les enfants et nos deux chiens, Roucky et Roxane, donnent la touche finale à ce magnifique décor.

Avril et quelques vacances au soleil plus tard, manou fraîchement arrivée de Bruxelles s'installe quelque temps à la maison.

Ma mère est comme moi très active. Elle est venue pour revoir les enfants, mais aussi pour envisager son installation au Québec.

Nous sommes sa seule famille et plus rien ne la retient en Belgique.

Au mois de mai, nous sommes enfin prêts à ouvrir notre première saison touristique.

Le centre d'interprétation est au stade des finitions, le film est monté et tourne en continu.

Eh oui, mon *show* prend de l'allure. Grâce à mon ami Guy, de Bruxelles, qui m'a convaincu d'acquérir un des premiers appareils photo numériques, j'ai créé un superbe diaporama !

Moi qui aime les joujoux je prends mon pied à photographier, monter, effacer, mixer tout ce qui bouge.

Une brochure attrayante, réalisée par des professionnels, décrit l'ensemble de nos activités d'interprétation du site et de ses installations ainsi que des nombreux produits à déguster. S'ajoutent au dépliant les caractéristiques de notre gîte du passant.

Deux chambres spacieuses accueilleront les visiteurs de passage dans notre B&B qui a reçu la classification 4 soleils (4 étoiles).

Le centre d'interprétation intégré aux installations est prêt pour accueillir les groupes et les visiteurs occasionnels.

Dans le goût et dans le cœur, telle est notre devise.

Les touristes peuvent goûter à plus de vingt produits différents.

Claire, en effet, a été prise d'une frénésie de créativité et n'arrête pas d'inventer de nouvelles saveurs.

C'est ainsi qu'aux confits d'oignons au cassis et sirop d'érable, en passant par la moutarde aux tomates et basilic,

s'ajoutent les gelées de pommes cannelle et confitures de pommes framboises.

Comme dans notre pays d'origine, rien n'est simple au Québec. L'alcool étant un monopole d'État, il est obligatoire de détenir un permis et, en ce qui nous concerne, un permis d'artisan.

Celui-ci nous permet de vendre exclusivement à la propriété et aux restaurateurs. Mais, à la fin mai, nous ne l'avons toujours pas reçu.

En juin, notre première saison commence et déjà les premiers curieux viennent voir ce que nous avons fabriqué depuis notre arrivée deux années plus tôt !

D'emblée, nous sentons qu'ils aiment la qualité de nos produits, qu'ils apprécient notre sensibilité et notre authenticité.

Entre-temps, le fameux permis est arrivé.

Le « bar » est ouvert et notre œnologue a mis au point notre premier cidre que Nicolas a baptisé *L'Odyssée.*

Le domaine s'appelle tout simplement le *Domaine Steinbach.*

Nos amis québécois nous ont chaudement recommandé de raconter notre histoire. C'est ce que nous avons fait dans notre centre d'interprétation en expliquant notre périple de la Belgique au Canada.

En juillet, la saison bat son plein et le gîte est complet, nous travaillons quinze heures par jour.

Très vite, nous réalisons que l'activité commerciale, le gîte, ainsi que l'entretien des cinq mille pommiers et des quinze hectares du domaine représentent un travail considérable.

La journée commence à six heures pour préparer les petits déjeuners, les Nord-Américains aiment déjeuner tôt.

L'activité agrotouristique, quant à elle, commence une heure avant l'arrivée de nos visiteurs pour la préparation des dégustations et se termine une heure après leur départ pour remettre de l'ordre.

La soirée est occupée en partie par les clients du gîte qui choisissent cette option surtout pour les contacts humains et la qualité des lieux. Partages et conseils sur les bons restaurants de la région font partie du service.

Vers vingt-trois heures, c'est bien souvent fourbus que nous montons nous coucher et sans faire de bruit car nos locataires dorment au même étage que nous.

Comment avons-nous fait avec nos trois enfants et surtout avec petit Flo qui n'osait plus se montrer avec tous ces « étranges », qui rôdaient dans la maison.

Je crois que la vie nous donne par moments l'énergie de l'impossible. Croyez-le ou non mais encore maintenant avec un chiffre d'affaires multiplié par trois et environ quinze mille visiteurs par an, notre équipe ne dépasse pas huit personnes en haute saison y compris nous-mêmes.

Notre Nico va sur ses 17 ans, et nous aide avec enthousiasme à plein temps pendant ses vacances scolaires.

Sauf qu'à 17 ans, c'est l'âge des « partys » et des folies.

Il y aura de nombreux coups de pied au derrière pendant qu'il transformera le quatre roues en objet volant non identifié en attendant de transformer la jeep de maman en véhicule décapotable quelques années plus tard. À suivre...

Agréable surprise, plusieurs événements vont venir améliorer notre visibilité et nous faire connaître dans la Belle Province.

Notre site est choisi pour recevoir les épouses des premiers ministres réunis en congrès à Québec.

Nous allons nous voir décerner le premier Prix de l'Île d'Orléans pour les rénovations exemplaires réalisées sur la maison ancestrale.

Claire va participer à des émissions de télévision avec des chefs reconnus à Québec et les journaux de la région vont s'intéresser à cette nouvelle activité originale réalisée par des Belges.

De fil en aiguille, nous allons gagner en popularité. De plus, la présidente de la chambre de Commerce de l'île est belge, encore une, et est autant sympathique que dynamique.

Je m'implique de plus en plus dans le réseautage entre artisans. Je me mets à rêver d'une charte de qualité qui nous conduirait à établir un label touristique pour les produits de l'île.

C'est ainsi que nous allons vivre cette première saison avec des périodes intenses qui se chevauchent, les unes derrière les autres.

Septembre et octobre, l'agrotourisme bat son plein et notre équipe est réduite au minimum. En effet, à cette époque, nos jeunes retournent à l'école et pour nous la récolte commence !

La récolte

Il n'y a pas de récolte de pommes cet automne juste de quoi faire mille litres de jus.

En bio, les pommiers, c'est vraiment difficile et il y a peu de connaissances sur le sujet.

Le futur nous apprendra que l'on perd une récolte, entière ou en partie, toutes les deux ou trois saisons.

Comme il n'y a pas de normes bios reconnues par le ministère de l'Agriculture, nos espoirs d'avoir droit à une assurance récolte s'avèrent nuls. Par chance, une récolte nous donne du jus pour deux années et, pendant la saison, nous vendons approximativement six mille bouteilles de cidre à la propriété.

Alors, l'un dans l'autre, la vie arrange bien les choses.

Nous arrivons exténués au mois de novembre, mois de fermeture complète. Il faut préparer le cidre de l'année

suivante et surtout de ranger le matériel, car l'hiver arrive à grands pas.

Décembre, et la dernière ligne droite vers les Fêtes, s'approchent rapidement.

Après l'hivernage, il est plus que temps de penser à la première édition du marché de Noël du Vieux-Port de Québec, ainsi qu'aux illuminations du domaine et aux décorations de notre magasin.

Entre la valse des paniers-cadeaux et la course entre nos deux points de vente, nous terminerons l'année au sprint. Nous sommes heureux car tous nos objectifs seront atteints, même s'il ne restera qu'un peu de sous pour tenir jusqu'au Salon de la gastronomie à Québec.

Tout un millénaire qui commence

Une deuxième saison touristique nous attend.

Hé, hop, c'est reparti ! Notre œnologue Jorj Radu, Roumain d'origine, vient de nous proposer une idée pour rentabiliser les mille litres de la décevante récolte précédente. Fabriquer du cidre de glace. Le principe est simple : dans une pomme, vous avez 70 % d'eau, si vous cueillez la pomme gelée sur l'arbre ou si vous refroidissez le jus de celle-ci dans une cuve en acier inoxydable, l'eau restera prisonnière dans la glace et il vous restera 30 % de liquide gorgé de sucre qui, après fermentation, vous donnera un cidre de couleur or, soit le fameux cidre de glace.

Jorj et Claire viennent me proposer cette idée ingénieuse, qui coûtera quelques dollars en investissement.

Ils surenchérissent avec deux nouveaux cidres, des cidres plus forts jusqu'à 11 % d'alcool.

Rien à faire, ils m'obligent à me dépasser. Il faut réaliser de nouveaux films pour la sérigraphie, faire approuver les nouveaux cidres par la Régie des alcools, des courses et des jeux (RACJ) et reprogrammer les caisses enregistreuses.

De toute façon, Claire a encore créé de nouveaux produits et je n'arrête pas de faire de nouvelles listes de prix et de demander des modifications pour les dépliants.

Je n'ai pas le temps de voir passer l'hiver tellement les nouvelles idées affluent.

Un centre d'interprétation c'est bien, mais c'est à l'intérieur !

Il n'y a donc pas d'activités qui puissent être vues de l'extérieur. Grâce à notre ami André qui a commencé un élevage de chevaux *Halflinger*, il nous vient l'idée de faire un essai en accueillant un de ceux-ci chez nous. On lui adjoint un poney comme copain.

À la fin de l'hiver, nous allons clôturer le champ devant la maison ancestrale et nous en profitons pour faire creuser deux étangs, nous donnant ainsi de belles réserves d'eau pour les arrosages.

Mon mal au dos n'a pas réapparu et mon moral est à son meilleur.

Les réservations pour les gîtes et les groupes augurent une bonne saison touristique.

Claire l'appréhende un peu car nous n'avons pas de cuisine professionnelle et donc nous nous débrouillons chez nous avec le matériel de bord.

Que faire ? Rien pour cette année, car nous venons d'investir dans les « activités » extérieures.

Tranquillement, le mois de mai arrive et après le succès du Salon de la gastronomie à Québec nous sommes fin prêts à accueillir nos premiers touristes au domaine.

Claire suit toujours de très près Amandine dans ses devoirs qui ne l'intéressent absolument pas.

Nico a arrêté le ski étude, trop individualiste à son goût, et a choisi l'option théâtre pour lequel il se découvre une vraie passion.

Flo découvre un papa plus attentif, il a maintenant quatre ans et demi et a déjà tout un caractère très attachant.

Claire et moi prenons toujours notre sortie de la semaine en amoureux. Depuis toujours nous avons privilégié ces moments de rencontre à deux et cette pause de quelques heures nous fait un bien immense.

Au resto ou après un bon film, devant une *Leffe Brune* au pub de la rue Saint-Jean, nous placotons de nos joies et de nos tracas, nous épaulant l'un et l'autre.

Depuis l'achat du domaine, c'est d'autant plus important que nous vivons et travaillons ensemble au même endroit sept jours sur sept.

Blablabla, notre vie vous apparaîtrait-elle devenue calme tout à coup ?

En cette première journée de juin, je tapote sur le clavier de mon ordinateur pour mettre à jour les listes de prix. La porte s'ouvre, coucou, c'est Dinou, 12 ans depuis peu, elle grandit ma jolie fille.

Papa est occupé, chérie, que puis-je faire pour toi ?

Il y a une grosse baleine qui a fait exploser la piscine, papa. Peux-tu venir voir ? me demande-t-elle timidement.

Une baleine dans la piscine ! L'année passée, c'est Nico qui jouait à l'ovni avec le quatre roues, je me demande ce qui m'attend encore, bon Dieu !

Il n'y a plus de piscine, à la place une grande mare à canards, car ceux du voisin sont déjà arrivés pour profiter de l'aubaine.

Visiblement, la cloison de cette piscine hors terre, typique dans la région, a complètement explosé. Il semblerait qu'une accumulation de jouets l'aie détériorée.

Conclusion : plus de piscine cette année, c'est terminé !

Tu parles ! Une semaine et quelques gigantesques manipulations familiales plus tard, une nouvelle piscine s'érigeait à la place de l'ancienne !

Je t'assure, me dit Claire, ce sera un plus pour le gîte ! Vraiment il fallait oser !

La saison touristique bat son plein et mon hyperactivité a atteint son sommet : tout bouge, tout tourne et... tout fonctionne !

Il est minuit et je monte me coucher. Le téléphone sonne, c'est Nico. Salut, pa, comment ça va ? Méfiant, je lui réponds que je vais très bien. Il poursuit en m'informant qu'il vient d'avoir un « léger » accident avec la voiture de Claire.

Dans ces moments-là, on n'hésite pas, on ne pose pas de questions, on fonce.

Une demi-heure après, je suis près de lui, il va bien à part une bosse volumineuse, mais il n'y a pas de voiture sur place. Il m'avise que par prudence un dépanneur est venu la remorquer.

Pas très rassuré par ces paroles peu convaincantes, nous retournons vers la maison.

Le lendemain, ma femme me demande ou se trouve son bolide rouge qu'elle affectionne tant, car elle ne l'a pas vu dans le stationnement.

Je lui réponds qu'il y a eu un accrochage et qu'elle peut m'accompagner au garage pour aller le rechercher.

Ce matin-là, nous arrivons chez le garagiste. À part une jeep rouge décapotable que je ne connais pas, un nouveau modèle à la mode très certainement, je ne vois rien.

Soudainement, une voix nous interpelle et nous demande ce que l'on cherche. Je décris au garagiste le véhicule et, l'air satisfait, il me montre la décapotable...

Ce n'est pas vrai, la voiture n'a plus de toit et ce que je prenais pour des ailes élancées est carrément le résultat

de plusieurs tonneaux vraisemblablement dus à une vitesse excessive.

Nico n'a rien, c'est le principal, mais nous sommes secoués, car vu l'état de l'épave, il aurait pu se tuer ou être grièvement blessé.

La vie a un sens caché qui nous permet de transformer en succès les événements qui nous arrivent.

Courir, courir, pour finir tôt ou tard par quand même mourir !

Ce n'est pas défaitiste, c'est réaliste. Travailler comme des fous quinze heures par jour, se battre sans cesse pour se dépasser.

Être rentable, performant, compétitif, tout n'est question que de ratio et de pourcentage.

Claire et moi allons éviter de reproduire les mêmes erreurs du passé.

Nous ne serons pas productifs, mais resterons qualitatifs.

Nous ne travaillerons plus quinze heures par jour, mais prévoirons de fermer le gîte dans le plan marketing.

Nous ne distribuerons pas nos produits tout azimut, mais nous créerons la rareté pour que les clients viennent jusque chez nous les acheter.

Je n'utiliserai pas la colère pour exprimer le reflet de mon désarroi intérieur, mais j'userai de la communication non-violente pour ne pas imputer à l'autre ce qui m'appartient,

Non, nous ne crierons pas sur toi et ne te ferons pas de reproches, mon Nico, mais nous te dirons combien nous

avons eu peur parce que nous t'aimons et que nous ne voulons pas te perdre.

Oui, tu prendras le bus jusqu'à l'année prochaine car, d'une part, nous n'avons pas l'argent nécessaire pour remplacer l'engin et, d'autre part, tu dois apprendre à être responsable.

C'est fou ce qu'un accident, un événement soudain, peuvent nous apprendre à propos de nous, à propos de moi.

L'année se poursuit avec ses nombreuses activités dont la préparation de notre site Internet. Il nous donnera une visibilité nationale et internationale.

Claire à une nouvelle idée, tiens, tiens, il y avait long-temps !

Elle me propose de recevoir les visiteurs en tenue Nouvelle-France. Tricorne, pantalon mi-mollets et petits nœuds, blouse et boléro, tout un bonhomme, quoi.

Les demoiselles seront en robe et pourpoint.

Comme vous l'avez déjà deviné, dès la mi-juillet, je suis équipé de pied en cap. Ce n'est pas le kilt écossais mais c'en n'est pas très loin.

Heureusement, j'ai échappé de justesse aux sabots de bois !

Ainsi nous accueillons les visiteurs dans une ambiance Nouvelle-France et une musique de circonstance.

Cette ambiance d'autrefois porte fruit. Le savoureux cidre de glace assorti à un cocktail de produits différents devrait nous donner une excellente saison.

Le nombre de groupes augmente et nous nous rendons vite compte qu'il faudra agrandir l'espace l'année prochaine.

L'endroit possible, c'est le premier étage de la grange au-dessus du centre d'interprétation, seule place non rénovée jusqu'à maintenant. Dans le passé, le tracteur y avait sa résidence, vous imaginez facilement l'état de la pièce.

J'appelle notre André de toujours et lui demande de faire une étude de faisabilité et de budgéter les coûts.

Claire a encore une idée supplémentaire, mon colon irritable se réveille subitement. Elle propose de profiter des travaux pour refaire notre cuisine et construire une agréable terrasse extérieure.

Quelques semaines et quelques banquiers plus tard, le projet et le budget sont établis. Pour la « modique » somme de 60 000 $, nous doublerons la superficie pour les visiteurs, nous aurons une cuisine professionnelle et une terrasse extérieure avec une vue imprenable sur le verger, le fleuve Saint-Laurent et les Laurentides.

Il ne reste plus qu'à réaliser nos objectifs soit doubler le chiffre d'affaires. Cela semble réaliste étant donné qu'une année plus tôt, nous n'étions pas connus.

L'excellente récolte automnale va, comme chaque

année, se rajouter à notre travail agrotouristique ainsi qu'aux aléas de la vie.

Peu de commentaires sur les enfants en ce mois de la rentrée scolaire, ils vont bien et ont de nombreux amis.

Claire, toujours aussi courageuse, est aussi bonne mère que femme d'entreprise.

Nous parlons souvent de son énergie et de ma fatigue et elle m'explique que tout ce qu'elle entreprend elle le fait avec calme et ne peut travailler dans le stress.

Après toutes ces années, je m'en étais rendu compte. Personnellement, j'ai de la peine à réfréner mon enthousiasme et j'ai tendance à disperser mes énergies.

De plus en plus, j'apprends à déléguer mes pouvoirs. Ce n'est pas facile pour quelqu'un qui veut tout contrôler.

Nicolas, excellent communicateur et motivateur, est, quant à lui, un boute-en-train pour toute l'équipe. Pendant que je dresse les statistiques et que je comptabilise les chiffres, il presse et embouteille, en chantant avec la bande enthousiaste.

Patron multifonction, ce n'était pas aisé en Belgique avec mes douze employés. Au Québec, cela ne l'est pas plus.

Il est très important d'être à l'écoute des autres.

Mais une petite entreprise a rarement les moyens de se payer un directeur du personnel.

Entre le tracteur cassé, le quatre roues en panne et la cuisinière qui nous quitte, il est vrai que je n'ai pas toujours le sourire ou le bon mot.

Mais avec les années, en acceptant d'être satisfait à 70 %, en espérant toujours le 100 %, je mets la barre moins haute pour moi-même et pour les autres.

Les saisons se succèdent et l'hiver est à nos portes, le grand marché de Noël qui durera quatre semaines cette année, va bientôt commencer.

Économiser mes énergies est devenu maintenant une priorité.

Remisage, illuminations sont les activités qui nous attendent.

Progressivement, l'année se termine bien remplie et avec les résultats financiers escomptés.

Troisième partie...

Les années papillon

On ne peut jouer la musique de son cœur
si l'on n'en a pas vécu les notes.

Une éternelle transformation

Se faire, se défaire, se refaire.

La vie est un éternel recommencement... pour qui le veut bien !

Car si je m'améliore à chaque instant, j'améliore ma vie et celle de ceux qui m'entourent, j'améliore l'instant, j'améliore demain.

Vagues après vagues, les événements agréables ou désagréables se succèdent.

Vagues après vagues, je résiste ou je m'adapte.

Le chêne finit par rompre et le roseau plie, nous dit Jean de La Fontaine dans une de ses fables.

Ces années vont se succéder au même rythme que la vie moderne tend à nous imposer, mais j'ai la liberté de choisir l'attitude appropriée.

Durant ces années et dans ma vie actuelle, je vais apprendre à considérer le présent comme un moment de bonheur unique et je vais m'en donner les moyens.

Nous fermons donc le gîte.

Quelle joie, mes amis, de retrouver son chez-soi, son intimité. Nous nous demandons encore comment nous avons pu tenir le coup. La gentillesse de nos visiteurs et l'authenticité de nos partages y ont certainement contribué pour beaucoup.

Nous prenons également des moments de soleil et de sable chaud avec nos enfants. Notre *beach* québécoise c'est le Mexique. Nous irons y savourer une semaine de repos bien mérité. Nous déciderons d'y retourner mais sans les enfants, car, du premier au dernier jour, ils nous auront posé la même question : « C'est quand qu'on rentre à la maison, maman ? »

Le repos, c'est pour les grandes personnes, pas pour nos moussaillons en pleine croissance, et nous l'avons bien compris.

Profiter du moment présent, c'est une bien jolie phrase et je vais la mettre en pratique en acquérant un catamaran de plage, ce qui va me permettre de m'évader et de pratiquer ma passion à dose raisonnable.

Ramener l'extrême à son juste niveau, trouver un bon équilibre, savoir se récompenser... cela semble si simple !

Il faut également pouvoir se donner les moyens nécessaires pour bien accomplir son travail.

Se donner les moyens, cette année, sera pour nous de bâtir notre cuisine de transformation et d'offrir une terrasse d'observation à nos visiteurs, ce que nous avions projeté l'année précédente. Comme par le passé, nous ferons intervenir notre ami André, l'homme qui en vaut trois !

Les années de brouillard s'éloignent lentement ou, devrais-je dire, mon attitude positive face aux événements progresse assurément.

Claire a encore de nouvelles idées ; la grande trouvaille sera l'ouverture d'un gîte, mais celui-ci sera réservé aux oies et aux canards !

Vous l'avez compris, une autre aventure commence, et quoi de plus naturel dans un verger biologique que d'utiliser des animaux à plumes pour la chasse aux insectes ainsi que pour le compostage.

Rien à redire, les arguments de Claire sont en béton. Les canards de Barbarie et les oies occupent bientôt une partie du terrain. Pour les Fêtes, ils seront transformés en pâtés et terrines diverses. Ces nouveaux produits feront un excellent accompagnement à notre confit d'oignons et notre cidre de glace.

Le dindon de la farce, c'est moi, car me voici nommé responsable du troupeau.

Il me faudrait des pages et des pages pour vous conter mes anecdotes. Pour vous faire sourire, en voici quand même une ou deux.

Il faut savoir que les renards aiment eux aussi ces volatiles et même si les oies ne se laissent pas faire, ils ont le génie de les disperser et de réussir à les faire s'envoler.

Me voilà avec mes enfants en train de bloquer la route principale pour faire retraverser une partie des oies pendant que la police allume gracieusement ses gyrophares pour calmer les impatients.

Vous m'imaginez également disparaître dans le banc de neige en tentant, avec mon filet, de rattraper une récalcitrante.

Pour finir par poursuivre en motoneige, les bandits en fourrure qui auront tôt fait de s'abriter dans leur terrier.

Nos oiseaux commencent à quitter le nid. Notre Nico a maintenant 20 ans et il veut parcourir le Canada, les É.U. et le Mexique pendant une année.

J'ai le cœur brisé et je ne m'attendais pas à ressentir une telle émotion, mais alors pas du tout. Dès que la voiture a quitté le domaine mon visage souriant et ma voix remplie d'encouragements font place à un désarroi profond.

J'enjambe ma motoneige et m'enfuis au loin près du fleuve gelé pour, enfin seul, laisser couler mes larmes.

Plusieurs jours déjà. C'est encore avec difficulté que je jette un coup d'œil dans la chambre entrouverte de Nico.

Il est temps à nouveau de me regarder.

Ce départ a en effet réveillé les séparations de mon enfance et celles-ci ont ressurgi avec force comme si ces émotions enfouies n'attendaient que cette occasion.

Vivre au présent, il y a tellement d'écrits sur le sujet !

En ce moment, c'est le passé qui me tient et c'est en acceptant cette souffrance que je vais retrouver la paix.

Libéré, c'est avec joie que j'entendrai mon Nico au téléphone et avec fierté que je dresserai une oreille attentive à ses récits de voyage.

Transformer, transformer autour de soi ou se transformer soi-même ?

Avec l'année sabbatique, j'avais tout changé, tout bousculé. Maintenant, c'est en moi que je recherche, que je transcende.

Remise en question

Nous prenons de plus en plus d'assurance et dans ces moments-là nous oublions parfois de rester vigilants !

C'est ainsi que des gens proches de nous, associés à un vilain coquin, vont s'approprier nos idées et recettes pour lancer leur entreprise.

Un an plus tard, heureusement, leurs activités ont été interrompues.

Personnellement, je vais réagir positivement en appliquant cette phrase célèbre : « La vie rend à chacun selon ses actes. »

Pour Claire, ce sera différent, car ces personnes peu scrupuleuses lui rappelleront les nombreuses trahisons endurées pendant son enfance.

Comme nous l'avions décidé l'année dernière, nous prenons des vacances en amoureux, et ce, pendant deux semaines.

Ces moments de calme propices à la réflexion vont nous amener à réfléchir sur notre avenir.

En effet, nous savons que Nico, passionné de journalisme et de reportages, ne reprendra pas les affaires, Amandine a des aspirations artistiques et Florian, c'est pour dans quinze ans.

Conclusion : il faut prévoir nos futures activités et développements éventuels.

À quel rythme voulons-nous continuer à vivre ? Quelles sont nos priorités à chacun ? Qu'est-ce que nous aurions envie de faire ou d'apprendre plus tard ?

Le domaine, avec sa situation géographique, a de nombreuses possibilités d'évolution.

Situé à quinze minutes du Vieux-Québec, nous pouvons parler de campagne dans la ville.

Organiser des conférences avec des thèmes comme l'immigration, démarrer son entreprise, l'année sabbatique, la gestion du temps, etc. Ces activités représentent pour moi un grand intérêt.

Si nous associons à nos séminaires un site enchanteur et des dégustations gourmandes, la formule sera très attrayante.

Mais le domaine, c'est aussi une multitude de « métiers » différents, pratiqués intensivement pendant une courte période. Il n'est pas sûr que d'ici à quelques années, j'aie toujours le désir d'animer des groupes entre deux « tontes » du verger ou un embouteillage.

Pour Claire, la priorité est notre Florian qui aura bientôt 10 ans.

Elle veut du temps pour notre petit dernier, mais aussi du temps pour elle.

Poterie et écriture représentent quelques-unes de ses aspirations futures.

Il est probable que dans un avenir proche, la propriété soit vendue.

Discrètement, après avoir fait appel à un agent immobilier, nous prospectons des marchés locaux et internationaux.

Très intéressante cette expérience car nous nous rendons compte que le domaine, avec l'ensemble de ses activités, représente une réelle opportunité pour les acheteurs. Par contre, l'agrotourisme constitue un créneau très spécialisé et donc plus limité.

Forts de ces enseignements, nous pouvons clairement établir nos choix d'investissements, temps et argent.

Surprise ! Nico est revenu plus tôt que prévu de son périple et il est impatient de reprendre sa place dans notre équipe.

La vie m'offre à chaque instant des opportunités de voir et de recevoir. La saison touristique est très exigeante en énergie et le retour inattendu de Nicolas va être le bienvenu.

Son voyage de six mois l'a aguerri et son reportage est rempli de souvenirs et d'aventures.

Profitant de son expérience derrière la caméra, nous lui demandons de réaliser un film sur le domaine.

À chaque jour suffit sa peine ! Ah, curé, si tu m'avais mieux expliqué !

Mais rien de tel que la pratique pour apprendre...

Tout vient à point à qui sait attendre.

Les années de consolidation et de réflexions

Nous commençons enfin à écrire les faits saillants de notre année sabbatique, car vous l'avez deviné, une année sabbatique représente plusieurs années de vie.

Il y a d'abord ce qui la précède avec toutes ses attentes, ensuite l'aventure proprement dite et, après, ce que nous avons retiré de cette expérience.

L'entreprise étant maintenant stabilisée, nous connaissons ses possibilités et nous pouvons prévoir les résultats les plus optimistes comme les plus pessimistes.

Nous connaissons aussi l'énergie nécessaire que demande notre PME et nous discernons avec justesse les avantages et les inconvénients.

De concert, nous avons convenu que Claire se donnera plus de temps pour elle et les enfants. Dans ce dessein, nous avons engagé deux cuisinières, Vicky et Ginette.

Nicolas, étudiant à l'Université Laval, nous quittera bientôt et ce sera probablement sa dernière saison au domaine.

Curieuse anecdote, il a obtenu une bourse pour une session universitaire de six mois. Devinez où ? En Belgique !

Donc je perdrai mon précieux bras droit. Mais notre fille de 16 ans, Amandine, est prête à prendre sa place et démontre le même enthousiasme que son grand frère.

Elle va vers son premier stage de théâtre et sa maturité grandit jour après jour.

C'est avec fierté que nous regardons Florian dans son parcours de vie, lui qui a dû faire face à un changement d'école l'année dernière.

Changement douloureux puisqu'il quittait un terrain connu et des compagnons de route.

Injuste aussi, car la décision de l'école était basée sur des « quota » d'élèves par classe et par municipalité.

Étant d'une autre municipalité, il a été « sacrifié » sans considération pour ce qu'il pouvait ressentir.

Courageux petit bonhomme qui m'a drôlement épaté lorsque, après coup, la directrice lui a tendu la main en lui proposant de revenir et qu'il a refusé, préférant s'intégrer dans son nouveau milieu.

Chapeau, mon gars, je ne crois pas qu'à ton âge, je l'aurais fait.

Toi aussi tu t'en vas vers tes activités de vacances et j'espère que tu ne me maudiras pas de t'avoir suggéré... l'école de voile !

Quant à moi, je m'exerce à appliquer ce que j'écris.

Transformer des situations qui ne me plaisent pas, fléchir au lieu de durcir, penser au lieu de hurler. Nico parti, qui va se taper le nettoyage des maudites citernes en plastique ? Ce travail ingrat prend des heures et des heures, je ne veux même pas y penser.

Se donner les moyens, encore une belle phrase que j'ai lue dans un bouquin. Je vais l'appliquer en achetant des cuves en acier inoxydable qui vont grandement me faciliter la vie.

C'est dans cet état d'esprit que se poursuit cette année.

Année où le présent est devenu le moment le plus important de ma vie tout en sachant que le futur dépendra de ce que je suis maintenant.

Maintenant, demain

Maintenant, c'est ce que j'ai bien voulu en faire.

Maintenant, c'est d'abord accepter ce qui est, même si ce n'est pas toujours facile.

Maintenant, c'est avoir la bonne attitude, sans jugement et en se regardant aller.

À tout moment la vie peut s'arrêter, là, tout de suite, dans la seconde.

L'instant présent est tout ce que j'ai.

L'instant présent est ma seule certitude.

Je regarde le Mont Sainte-Anne par la fenêtre de ma chambre d'hôtel.

Nous sommes au mois de juin, la montagne est grandiose, il fait exceptionnellement beau après plusieurs jours de pluie.

Au domaine, le verger est en fleur.

Je me suis isolé quelques jours avec Claire, pour terminer le manuscrit au « masculin ».

Dès notre retour, nous contacterons des éditeurs pour leur présenter *L'année sabbatique*.

Nous n'avons pas d'attente si ce ne sont celles de témoigner de ce que nous avons vécu ces dix dernières années.

La pièce est remplie de plus d'une centaine de photos sélectionnées parmi plus d'un millier.

En écrivant ces lignes et en les choisissant, j'ai traversé toute ma palette d'émotions.

J'ai maintes fois ressenti de la tristesse, de la nostalgie, parfois de la colère mais aussi beaucoup de joie, de bonheur, ainsi que de nombreux sourires qui sont apparus sur mon visage.

Mais, c'est surtout de la reconnaissance face à ce que j'ai été et qui fait que je suis là aujourd'hui.

Rien ni personne ne pourra faire mon bonheur ou mon malheur, il n'y a que mon regard et mon attitude face aux situations qui pourront me faire grandir ou me détruire.

De quoi sera fait demain ?

Cela a vraiment peu d'importance.

Sincèrement, de tout mon cœur, j'ai tellement vécu d'années à attendre demain.

J'ai tant espéré du futur que j'ai failli en mourir.

Mourir de ne pas avoir pu être ce que je souhaitais.

Alors, je suis sans attente.

Il est possible que le domaine se vende un jour.

De toute façon, dès cette année nous envisageons de créer une nouvelle entreprise de communication.

Les enfants y auront bien sûr leur place s'ils le désirent.

Claire est passionnée d'écriture.

Moi, j'adore partager et faire vibrer mon entourage.

Nico est fervent de reportages et très heureux d'être derrière la caméra.

Amandine, si nous la laissions faire, nous présenterait son *show* chaque soir et je vous jure que nous nous roulons par terre de rire. Flo aime le cinéma, comme toute la famille.

Toutes ces occupations devraient faire un bon cocktail.

Quatrième partie...

Réflexions

Réflexions sur l'immigration

Le bonheur n'est nul autre ailleurs que dans notre cœur.

Il paraît que les dieux l'y ont caché afin que l'homme ne puisse pas le trouver.

On pense aussi que l'herbe est plus verte ailleurs.

Mais en définitive j'emporte, partout où je vais, ce que je suis.

Nous sommes partis au Québec pour une année sabbatique et, sincèrement, je ne pensais pas que nous y resterions, bien que mon épouse, elle, fût secrètement décidée à s'y installer depuis notre premier voyage.

Sans attente des autres, sans attente des situations, ne compter que sur soi-même est certainement une des raisons de notre réussite d'intégration.

Dès le départ, nous avons respecté notre futur pays d'accueil, aussi bien ses lois que ses habitants avec leurs us et coutumes.

Non, ce n'est pas facile et en Belgique ce n'était pas facile non plus.

Non, « ils » ne sont pas tous sympas, mais, dans notre pays d'origine, « ils » ne l'étaient pas tous non plus.

Oui, il y a aussi des gens malhonnêtes mais il y en a partout dans le monde.

Après dix ans passés au Québec, mon fils, Nicolas, a reçu un très beau compliment lors d'une exposition vinicole.

On lui a dit que tout le monde n'aimait pas spécialement les STEINBACH mais que tout le monde les respectait.

Nous ne pouvons être aimés de tous et de toute façon ce n'est pas si important.

Mais la déférence est une preuve que nous n'empiétons pas sur la vie des autres et que nous aussi nous les considérons.

Je disais plus haut : « Ne compter que sur soi. »

Oui, ne comptez que sur vous, sur vos propres expériences.

Venez, visitez, écoutez, vivez au milieu des gens quelques mois ou plus.

Le Québec est un merveilleux pays ou, devrais-je dire, une merveilleuse province du Canada. Les habitants sont chaleureux et tous nos amis sont québécois.

Chaque fois que nous avons eu besoin d'un coup de main, nous l'avons reçu.

Par contre, au niveau gouvernemental, c'est comme partout.

Tout semble rose tant que vous n'êtes pas arrivé. Après, il faut faire face à la réalité et s'y conformer.

Nous, nous n'attendions rien et, à part quelques aides par-ci par-là, nous nous sommes débrouillés seuls.

Comme le dit merveilleusement Claire, c'est ici au Québec que nous avons pris la décision de vivre et d'élever nos enfants et nous ne l'avons jamais regretté.

Dieu, Bouddha, Allah et les autres

Ils ne s'intellectualisent pas, Ils ne sont pas au ciel, Ils ne nous punissent pas, Ils ne nous obligent pas, Ils ne se vengent pas.

Depuis l'école catholique et le Petit Séminaire de Basse-Wavre, je me posais beaucoup de questions.

Comment le curé qui, pendant la messe, était en conversation avec Dieu, avait-il réussi à me coller en retenue pour indiscipline ?

Comment l'évêque de la région, avec ses habits cousus d'or et sa croix lourde de rubis, pouvait-il ressembler à Jésus ?

Comment, tout de noir vêtus, ne pouvaient-ils que donner les derniers sacrements sans jamais pouvoir apaiser ou guérir ?

Je ne partirai pas en croisade aujourd'hui car ce n'est pas le but de ce bouquin.

Mais à part l'abbé Pierre et quelques autres...

Ce qui ne m'avait pas été dit, c'est qu'Il était à l'intérieur et qu'il me suffisait d'écouter, de ressentir, de m'oublier pour laisser la place, pour laisser la place à Sa petite voix.

Cela ne s'explique pas, cela ne se partage pas, cela ne peut que se vivre.

Sans Lui, je ne serais probablement pas là aujourd'hui.

Il aurait été profondément injuste et égocentrique de m'attribuer les honneurs d'avoir survécu seul jusqu'à maintenant.

À tout moment, je peux partir pour toujours. À chaque instant, je m'efforce d'être plus proche de ce qu'il y a de plus beau au monde et qui se trouve en moi.

« Qui cherche trouve. »
« À celui qui a il sera donné. »
« À celui qui n'a pas il sera retiré le peu qu'il a reçu. »

LA BIBLE

Table des matières